LE SOTTISIER

Collection
L'INTEMPOREL
sous la direction d'Yves Le Gars

© 1992, Editions ALINEA
22, rue Victor-Leydet
13100 Aix-en-Provence

Voltaire

Le Sottisier

Avant-propos : Yves Le Gars

ALINEA

AVANT-PROPOS

Voici un texte dont l'histoire est, à elle seule, une curiosité. Tout commence à Saint-Pétersbourg, dans la Bibliothèque de l'Ermitage, parmi les papiers de Voltaire que sa nièce, Madame Denis, avait vendus à Catherine II de Russie. Il y a là, en portefeuilles, des manuscrits du grand homme dont l'un connaîtra une destinée singulière sous le titre de *Sottisier*.

Nous avons décidé de conserver ce titre traditionnel, apparu pour la première fois dans l'édition Moland en 1883 ; pourtant, il soulève de nombreux problèmes, le premier étant de ne correspondre que partiellement, imparfaitement, à la définition que le Littré donne d'un sottisier : « recueil d'erreurs comiques relevées dans les livres et dans la presse. » Le remarquable travail de Théodore Besterman *Voltaire's Notebooks* (Genève 1951) nous a permis de mieux comprendre l'origine des malentendus suscités par ce texte. Besterman nous apprend, en effet, que c'est par simple commodité que l'édition Moland avait rangé sous ce titre un ensemble de notes de Voltaire dont Beuchot, qui travaillait à son édition savante des œuvres du philosophe, avait entendu parler pour la première fois, grâce à une lettre du prince Alexandre Ivanovitch Lobanov-Rostovsky. Celui-ci lui écrivait le 29 avril 1844 : « Il y a bien des années, je vous ai fait mention d'un manuscrit de la main de Voltaire, qui se trouve à la Bibliothèque de l'Ermitage de Saint-Pétersbourg. Un de mes amis en ayant fait une copie, je l'ai apportée ici, afin de vous la communiquer... Ce manuscrit est intitulé *Le Sottisier.* » Etrange fortune d'un texte qui, au gré des catalogues et des commentaires, allait se voir attribuer ou refuser ce titre, provoquant des jugements tantôt intéressés, voire admiratifs, tantôt sévères.

C'est ainsi que Louis Léouzun Leduc dans ses *Etudes sur la Russie et le nord de l'Europe* (1853), sans le nommer « sottisier », parle du fameux portefeuille en des termes plutôt élogieux : « Ce portefeuille est en quelque sorte l'image de la pensée de Voltaire, le confident de ses études, le témoin de toutes ses impressions. Il contient une foule d'extraits d'auteurs latins, anglais, français, italiens ; plusieurs anecdotes concernant l'histoire des lettres et des spectacles ; des notes et des réflexions sur toutes sortes de sujets ; en sorte que, d'après ce portefeuille seulement, on peut juger de la vérité de ce vers que Voltaire a fait sur lui-même :

« Tous les goûts à la fois entrèrent dans mon âme » (*Epître à une dame ou soi-disant telle.*) Et Léouzun Leduc de souligner un aspect de Voltaire trop peu mis en valeur : « Voltaire était un homme laborieux et réfléchi ; rien ne passait sous ses yeux qui ne fixât vivement son attention, et qui ne prît aussitôt place dans ses notes.»

Ce jugement de Léouzun Leduc, sympathique, nous le faisons nôtre: sans ce Voltaire des carnets de notes, où tout se retrouve de façon apparemment désordonnée et hétéroclite, au gré des lectures et des recherches du moment, il ne serait pas possible de comprendre l'originalité de ce génie dont l'un de ses commentateurs a pu écrire: «Voltaire est un auteur bref qui a laissé une œuvre immense.» Souci extrême du détail le plus infime, du fait divers, de l'anecdote, qui joint à un sens aigu de l'observation, a pu conduire à la maîtrise de l'ironie que l'on sait.

Pourtant tous les lecteurs de ces carnets n'ont pas réagi favorablement. Ainsi le comte Andreï Fédorovitch Rospotchine, auteur de la copie «très exacte, très complète», au dire de Léouzun Leduc, dont ce dernier s'est servi pour une édition au tirage confidentiel, juge avec dureté et parti-pris ce manuscrit: «Si quelqu'un voulait imprimer ce manuscrit, il devrait l'intituler *Voltaire en robe de chambre;* mais, pour lui donner du prix, il faudrait presque pour chaque ligne donner des notes qui relèveraient les impiétés de Voltaire, ses niaiseries, son ignorance, ses naïvetés, ses enfantillages, sa lubricité, son manque de philosophie, sa crédulité etc., etc. Cependant le gredin avait bien de l'esprit, mais ce n'est pas ce livre qui le démontre... l'impromptu, le sarcasme, le jet y manquent complètement; en un mot, si on n'avait des preuves certaines que c'est son écriture on ne pourrait le croire.» Le même Rospotchine indiquait, dans une note de lecture, qu'il avait effectué quelques coupures, en particulier touchant des vers «impies» et «dégoûtants». Selon Besterman, c'est en réalité à peu près la moitié du manuscrit qui a été sacrifiée dans les éditions successives du *Sottisier,* jusqu'à ce qu'il en restitue aujourd'hui la totalité. Ces notes ne constituent elles-mêmes qu'une partie — qui correspond aux années 1735-1750 — de toutes celles que Voltaire a prises au cours de sa longue existence.

Au reste, la réaction de Rospotchine a de quoi laisser perplexe. On se demande s'il a compris qu'il s'agit d'un mélange de citations, d'anecdotes et de réflexions et même s'il a vu que les naïvetés qu'il prête à Voltaire — comble de l'ironie ! — sont celles que celui-ci découvre dans le comportement d'autrui !

Or, l'inestimable valeur d'un tel texte tient d'abord à son aspect de matière première. L'erreur principale serait de juger ce «sottisier» selon les critères du livre achevé. C'est d'abord une compilation, un ramas de matériaux divers sur le chantier de la table de travail, antérieur à l'élaboration savante puis inspirée, qui mène à l'ouvrage réussi. Tout n'a probablement pas servi et tant d'autres éléments ont été utilisés par Voltaire qui n'ont pas laissé de trace ici !

Pourtant une fois retirées toutes sortes d'allusions à des personnages devenus pour nous trop obscurs, ces notes, souvent précédées d'un titre approximatif, suscitent chez le lecteur un intérêt inattendu. Tout à coup telle anecdote, telle formule ou réflexion, au détour d'une page se fait familière et, bien que le ton général du contexte diffère considérablement, rappelle des passages du *Siècle de Louis XIV* ou de *l'Essai sur les mœurs*. Telle remarque sur la vie de Mahomet, sur les jésuites ou sur les juifs révèle des obsessions qui signent la présence voltairienne. D'autres pages, que nous avons éliminées parce qu'elles ne présentent aucun intérêt littéraire, comme celles que le compilateur a consacrées à Newton, font manifestement partie d'un dossier qui a servi pour les *Lettres Philosophiques*. D'ailleurs, il arrive que le «Je» du texte ne laisse planer aucun doute sur l'auteur de ces lignes non destinées à la publication. Sans destinataire, la formule se fait pourtant maxime, «pensée» sur l'homme: on y sent la fréquentation quotidienne de Montaigne et de Pascal, le souci du moraliste, l'acuité de la visée, le «vrai» Voltaire n'est pas loin.

Il suffit de feuilleter ses *Œuvres Complètes* pour se persuader que l'univers de ce modeste carnet de notes, si informe soit-il, est le microcosme du grand œuvre. Le lecteur y retrouve les thèmes obsédants ou favoris de Voltaire: religion et fanatisme, politique, mœurs et anecdotes, Histoire surtout, tant il est vrai qu'à cette période de sa vie elle était sa préoccupation principale. Il voit d'ailleurs la «grande Histoire» à travers son goût si prononcé pour l'élément pittoresque ou croustillant, sa destinée propre s'inscrivant dans la conception anarchique qu'il se fait de l'histoire universelle : embastillé en 1726, puis exilé en Angleterre — où il commence ses carnets de notes —; les *Lettres Philosophiques* qu'il ramène de l'expérience anglaise le jettent dans l'exil lorrain... En 1739, l'édition des premiers chapitres du *Siècle de Louis XIV* est saisie, mais en 1745, il est historiographe de Louis XV, et académicien l'année suivante! A l'époque du *Sottisier*, il vit avec Madame du Châtelet qui mourra tristement en 1749. Il est «l'orange» de Frédéric II qui en extrait tout le jus qu'il peut; il lit Machiavel, il est un peu agent secret... C'est un nerveux, un frénétique, un obsédé de la superstition. Son frère était «convulsionnaire», il partage un peu de sa folie. L'univers religieux le fascine et le revulse. C'est le symétrique inversé de Pascal qu'il lit et annote, au nom de Montaigne. Les jansénistes, les jésuites, les juifs et Mahomet ont envahi son imagination. Dans le *Sottisier*, le Prophète est prétexte à plaisanteries scabreuses. Tout cela sonne vrai: Voltaire, homme de son siècle, aimait le parler cru et scatologique. Personnage extrêmement complexe et attachant par son combat contre la bêtise, l'ignorance et l'hypocrisie, tous les sophismes et les fanatismes. Un émotif et un passionné doué du don de l'observation, qui connaît la force des coutumes et la paresse des hommes. Sensible à sa propre étrangeté, il parlait de sa «peau de caméléon».

Nous n'avons pas cherché à innover sur la méthode, ne conservant du texte que ce qui nous a paru devoir encore intéresser un lecteur contemporain. Aussi avons-nous supprimé, à quelques mots près, tous les textes en langues étrangères, et la quasi-totalité des citations en vers. Ainsi, sans l'avoir cherché, avons-nous évité de réveiller la vindicte des mânes de Rospotchine!

A la fin du volume, le lecteur pourra prendre connaissance des notes marginales que Voltaire avait écrites, «à chaud», sur le *Discours sur l'origine et le fondement de l'inégalité parmi les hommes* (1755) et sur le *Contrat Social* de Rousseau. Plus tardives que le *Sottisier*, ces remarques, vives et spontanées, par leur brièveté même, signalent l'authenticité de la réaction. Ce dialogue interrompu par la mort, on aime à penser qu'il se poursuit, en secret, et pour l'éternité, dans cette crypte du Panthéon où les deux frères ennemis font seulement semblant de dormir...

Yves Le Gars

REMARQUES HISTORIQUES

Dans la régence d'Anne

Dans la régence d'Anne, la cour étant à Saint-Germain, on fut obligé de mettre en gage les pierreries de la couronne. Le roi manqua du nécessaire; on fut obligé de congédier les pages de la chambre. C'est dans ce temps que la princesse Henriette se tenait au lit, faute d'un fagot.

_____

1649. La noblesse française, qui ne s'assembla pas pour réformer l'Etat, s'assembla pour la querelle d'un tabouret que la reine voulait donner à Mme de Pons et à quelques autres. Le gouvernement était rempli de faiblesse et de ridicule. Le cardinal Mazarin passait publiquement pour l'amant de la reine. Le marquis de Gersay osa faire une déclaration à Sa Majesté, et M. le Prince voulait ôter à la reine jusqu'à la liberté de s'en fâcher. Ces bagatelles causèrent de grands mouvements. Au milieu de ces sottises on assassinait, on supposait des assassinats pour exciter le peuple à la vengeance.

———

Le prince de Condé tantôt fit la guerre aux Parisiens, tantôt la fit à la cour, faisant toucher publiquement son chapelet à des reliques et baisant la châsse de sainte Geneviève, puis faisant mettre le feu à l'Hôtel de ville. La reine en pleurs pendant la bataille de Saint-Antoine, prosternée dans sa cellule. Les blessés, et le duc de La Rochefoucauld surtout, demandant le secours des Parisiens. Mademoiselle faisant tirer sur les troupes du roi.

———

Des officiers pendus, par représailles, à Bordeaux. La grand'salle devenue un théâtre de la guerre; la débauche et la gaieté régnant au milieu de ces horreurs *(Motteville)*.

TRAITS SINGULIERS

Du règne de Louis XIV

En 1672, Amsterdam se crut tellement perdue que les juifs proposèrent 2 millions à Gourville pour qu'on épargnât leur quartier.

Colbert fit rendre un arrêt par lequel il était défendu aux gens d'affaires de prêter au roi, sur peine de mort. L'année d'après, il emprunta d'eux.

En 1637, rien n'était si commun que des ambassadeurs qui portaient les armes en faveur des pays où ils étaient envoyés. Le baron de Charnacé, ambassadeur de France auprès des Etats Généraux, était colonel à leur service.

En 1672, Turenne commande aux maréchaux de France. Ils ne veulent pas obéir : on l'exile.

En 1671, la tragédie de *Bellérophon*, donne à Racine l'idée de *Phèdre*.

La politique a sa source dans la perversité plus que dans la grandeur de l'esprit humain.

1684. Louis XIV se levait à huit heures et un quart. Dès qu'il était habillé, il travaillait avec ses ministres jusqu'à midi et demi ; ensuite il entendait une messe en musique.

Au sortir de la messe, il allait chez Mme de Montespan, puis dînait dans l'antichambre de Mme la Dauphine. Les gentilshommes servants le servaient. Monseigneur, Mme la Dauphine, Monsieur, Madame, Mademoiselle, Mme de Guise, quelquefois les princesses du sang, mangeaient avec lui. Après dîner, il travaillait encore. A huit heures du soir, il allait chez Mme de Maintenon, de là souper, puis chez Mme de Maintenon jusqu'à minuit.

————

Jeunesse du roi — Anecdotes des mœurs

L'esprit de désordre était partout. Les processions se battaient : le chapitre de la Sainte-Chapelle contre celui de Notre-Dame, chambre des comptes contre parlement.

————

Parlement

Le peuple regardait le parlement de Paris comme un corps aussi ancien que la monarchie, fait pour servir de milieu entre le roi et ses sujets, tuteur des rois, père du peuple. La cour le regardait comme un tribunal de justice, et rien de plus. La vérité est que l'autorité et les fonctions de ce corps n'ont jamais été bien réglées, qu'il n'a pas été puissant que sous les ministres faibles, et il est ridicule de dire qu'il représente la nation. Ce mot seul de *parlement* fait une partie de sa force. L'exemple du parlement d'Angleterre, et le nom de parlement, qui était autrefois en France tout l'Etat, nous en impose. Si on ne l'avait appelé que premier président il aurait eu moins de crédit et moins d'ambition.

———

On peut faire en France plus qu'ailleurs : car Allemagne et Italie divisées, Espagne dépeuplée, Angleterre troublée, etc. etc.

———

Commerce

Fait d'abord par les juifs, puis les Lombards. Nous étions comme les Polonais, qui laissent faire leur commerce par d'autres ; nation fière, légère, et alors peu spirituelle, car les hommes sont les disciples des temps où ils naissent.

———

N. B. L'idolâtrie pour Louis était au point qu'un homme qui aurait parlé de liberté aurait passé pour un ridicule plus complet que tous les personnages de Molière.

———

Les Algériens ayant rendu à M. d'Amfreville beaucoup d'esclaves chrétiens, il s'en trouva parmi eux beaucoup d'Anglais, qui dirent à M. d'Amfreville qu'on ne rendait tous les esclaves qu'en considération du roi d'Angleterre. D'Amfreville les fit remettre à terre, et les Algériens les renchaînèrent de plus belle, sauf le respect dû au roi leur maître.

————

Européens, toujours inquiets, changeant tous les dix ans d'intérêt et de politique. Asiatiques, plus uniformes.

————

1686. Les Anglais deviennent philosophes, l'esprit de religion se tourne en raison d'Etat : mille sectes ; mais parmi les régents, aucune. Les erreurs sont nécessaires aux barbares. Il faut qu'un roi guérisse des écrouelles dans un temps d'ignorance : inutile aujourd'hui.

————

Louis XIV a fait beaucoup plus de bien à la France qu'aucun de ses prédécesseurs mais il n'a pas fait la centième partie de ce qu'il pouvait faire.

————

1687, janvier. Le roi dîna à l'Hôtel de Ville. Le prévôt des marchands le servit. La prévôte servit la dauphine.

————

Sully meurt : on lui trouve trente-sept mille louis d'or en espèces et vingt mille écus. C'est M. de Dangeau qui fait ce conte ; mais Mlle Dumoulin, sa petite-fille, m'a assuré le contraire.

Quelle cour, où on voyait à la fois Condé, Turenne, Louvois, Colbert, Racine, Despréaux, Mansard, Bossuet ! Que voit-on aujourd'hui ?

————

Défaite à la Hogue. Vaisseau *Soleil d'or ;* on lisait sur la poupe :

Je suis unique sur l'onde,
Comme mon maître dans le monde

———

Novembre. Le prince d'Orange en partant dit aux Etats qu'il va en Angleterre pour en chasser la religion catholique, et l'ambassadeur d'Espagne fait faire le même jour des prières publiques pour l'heureux succès des armes du prince d'Orange.

———

Duquesne, petit-fils du marin, établit une colonie de Français au Cap.

———

Belles-Lettres. — La Fontaine a fait deux actes de la tragédie d'*Achille*.

———

Le roi déclare qu'il rend à ses sujets huguenots la moitié de leurs revenus s'ils quittent l'Angleterre pour aller en Danemark ou à Hambourg.

———

Il montre ses *Mémoires* au duc de Montausier: «J'ai ordonné, j'ai fait, j'ai pris, j'ai conquis-sire, César n'a jamais dit moi.»

———

Puissance royale. — Quatre-vingt-dix gros vaisseaux prêts à mettre en mer, et cinquante mille hommes dessus.
1690, avril. A la mort de Mme la Dauphine, le roi dit à Monseigneur: «Voyez ce que deviennent les grandeurs de ce monde; nous serons ainsi, vous et moi.»

———

Van den Enden *(A Finibus),* philosophe habile, fut

pendu pour avoir conspiré avec le chevalier de Rohan et Latréaumont. Il avait deux filles dont l'une enseigna le latin et la géométrie à Spinosa.

———

La plupart des événements qui n'ont point amené de grandes révolutions sont comme des coups de piquet qui n'ont ruiné personne et que les joueurs oublient.

———

Le roi, en donnant des grâces, disait: «Je fais un ingrat et cent mécontents.»

———

Le pape est une idole à qui on lie les mains et dont on baise les pieds.

———

1691, juillet; lundi 16, Louvois meurt soudainement, après avoir travaillé avec le roi. Les médecins et les chirurgiens l'ont cru empoisonné.

C'était le plus riche ministre. Le roi dit au roi d'Angleterre: «J'ai perdu un bon ministre, mais vos affaires et les miennes n'en iront pas plus mal.»

———

Corneille entreprit *Cinna* après la lecture du vingt-troisième chapitre de Montaigne: «Sénèque, *de Clementia*».

———

Dans l'établissement des Invalides on imagina des machines pour faire travailler les aveugles, les éclopés...

———

Douze mille enfants trouvés, dont dix mille meurent.

———

Nota. Quand on apprit à Paris qu'on venait de couper le cou au roi[1], tout le monde pleura. A sa mort[2], j'ai vu tout le monde rire.

––––––

Il n'y a que les capitaines des gardes du corps qui prêtent serment l'épée au côté. M. de La Feuillade est le premier colonel des gardes-françaises qui ait eu ce privilège.

––––––

La reine d'Espagne mourut après avoir mangé un pâté d'anguilles.

––––––

Le roi a un anthrax ; Racine couche dans sa chambre.

––––––

1696. Trois personnes que la reine aimait et qui mangèrent du pâté d'anguilles en moururent. C'était la comtesse de Pernits, Sapata et Nina. La reine était grosse ; on lui ouvrit le côté, on lui trouva un garçon. Le roi confirma ces nouvelles à son petit couvert.

––––––

Quand Ruvigny sortit de France, il laissa un dépôt dont le roi avait le secret. Tant que Louis XIV fut le seul qui en fut informé, il ne le confisqua pas ; mais il le confisqua dès qu'il en fut informé par d'autres. Il eût été bien plus beau de faire rendre le dépôt.

––––––

Le roi d'Espagne par son testament déshérite qui-

––––––

1. Charles Ier, roi d'Angleterre.
2. A la mort de Louis XIV.

23

conque est empereur et roi de France.

—————

Mme de Maintenon née dans la prison de Niort, son origine, son voyage en Amérique à deux ans, son mariage avec Scarron, ses amours avec Villarceaux, dont elle eut un fils : particularités inutiles pour les sages, mais dont le peuple est avide.

—————

Le Puget a bâti, peint et sculpté une église à Marseille.

(Fin des sots Mémoires de Dangeau.)

REMARQUES DIVERSES

Sur l'Histoire de France

Machiavel, dans *Le Prince,* dit que la plus grande sûreté des rois est le parlement. Cela était bien quand il y avait des seigneurs dangereux, que l'autorité du parlement pouvait réprimer ; mais depuis, le parlement est devenu lui-même très dangereux. Ce qui était une arme défensive devient aujourd'hui un trait dont on est blessé.

———

La bataille d'Hochstædt perdue parce que les Français supposèrent que les ennemis ne pourraient passer, au mois de juillet, un marais qu'ils n'avaient pu passer en novembre.

———

CARACTÈRE DES FRANÇAIS

Du temps des croisades, selon Anne Comnène, les seigneurs français logés chez l'empereur Alexis furent en deux jours les maîtres de la maison.

———

Il ne faut qu'un génie très médiocre et un peu de bonheur pour être bon ministre, même dans une république ; mais, dans un empire despotique, il ne faut que la faveur du maître. On estime de loin les favoris, mais de près ils sont des hommes bien communs.

———

Le grand Gustave changea la manière de combattre. Le duc de Weimar, son disciple, fut le maître de Turenne. L'infanterie commença alors à se mettre en réputation. On attaqua en colonne, c'était l'usage des Romains. Des armes meilleures, ou un ordre de bataille supérieur, est ce qui donne l'avantage, et peut-être c'est là tout le secret des conquérants. Machiavel est le premier des modernes qui ait conseillé d'attaquer en colonne, Machiavel dit aussi que l'infanterie doit décider à la longue du sort de la guerre, malgré l'opinion commune.

———

Ridicule de ceux qui comparent l'histoire de France à la romaine, Condé à César, Louis XIV à Alexandre.

———

Pauvre chose que la France avant Louis XIV! Rois sans pouvoir avant Louis XI; Charles VIII et Louis XII, conquérants malheureux; François Ier, vaincu; guerres civiles jusqu'à Henri IV; sous Louis XIII, faiblesses et factions.

———

Cromwell n'abusa jamais de son pouvoir pour opprimer le peuple; il rendit la nation florissante au dedans et respectable au dehors. Usurpateur et non tyran.

———

Mélange de grandeur et de ridicule dans la puissance du pape.

———

L'histoire ordinaire, qui n'est qu'un amas de faits opérés par des hommes, et par conséquent de crimes, n'a guère d'utilité, et celui qui lit la gazette aurait même en cela plus d'avantage que celui qui saurait toute l'histoire ancienne. La curiosité seule est satisfaite.

———

Je ne crois pas que le succès dans le ministère fasse un grand homme. Le cardinal de Richelieu a été le maître; mais est-on un grand homme pour être vindicatif, impérieux, sanguinaire, et pour avoir gouverné un roi faible ? Un grand génie écrit-il des sottises ? Richelieu était un théologien pédant et un poète ridicule.

––––

Religion

Du vivant de Louis XIII, on avait des évêchés sans être dans les ordres. Le duc de Guise le Napolitain était archevêque de Reims sans être tonsuré ; et le duc de Verneuil, à ce que je crois.

––––

DUEL

Louis XIV abolit les duels, que tant d'autres rois avaient autrefois maintenus, et qui avaient été regardés longtemps comme le plus beau privilège de la noblesse et comme le devoir de la chevalerie. Le serment des anciens chevaliers était de ne souffrir aucun outrage et de venger même ceux de leurs amis; mais il n'y a de pays bien policé que celui dans lequel la vengeance n'est qu'entre les mains des lois. Il y avait jusqu'à cinquante formules de cartels, etc.

————

Chez les flibustiers, la justice consiste à choisir un parrain qui fait tirer les deux parties. Les Français n'ont été, pendant des siècles, que des flibustiers.

————

Les évêques ordonnèrent quelquefois le duel.

————

Le pape Nicolas Ier appelait les duels *combats légitimes,* conflits ordonnés par les lois.

————

Quelques conciles l'ont appelé « le jugement de Dieu. »

————

Belles contradictions

Le maître à danser de Louis XIV avait 7.600 livres par an, et le maître de mathématiques 1.500.

————

Les jésuites, en 1710, étaient au nombre de 20.000.

————

Les mathurins ont toujours été appelés *Ordo asinorum,* jusqu'à ce que l'Université tînt chez eux ses séances.

————

Spinosa ayant reçu cinq cents livres de rente du père d'un jeune homme qui avait été son disciple, rend les cinq cents livres au jeune homme devenu pauvre.

————

Mille livres sterling données à M. Carte pour écrire l'histoire d'Angleterre.

————

Charles XII jouant aux échecs faisait toujours marcher le roi.

————

FAITS SINGULIERS

De l'histoire de France

Si on avait trouvé 50 écus au trésor royal pour envoyer au duc de Guise, il n'y aurait point eu de barricades.

———

Ce qui détermina Louis XIII, à l'âge de seize ans, à faire assassiner Concini, c'est qu'on lui avait refusé 1.500 écus. Concini, sur ce refus, avait dit au roi: «Sire, que ne vous adressez-vous à moi?»

———

Prisonnier à la Bastille ayant toujours un masque de fer, soupçonné d'être un frère aîné de Louis XIV.

———

La philosophie de Descartes proscrite par lettre de cachet, sous Louis XIV, en 1675.

———

La femme de Saint Louis fit promettre à un chevalier français de la tuer au cas qu'elle tombât au pouvoir des Sarrasins. «J'y avais déjà pensé, Madame», répondit le chevalier.

———

Louis le Jeune fut obligé de se faire couper la barbe, sur les remontrances de Pierre Lombard, évêque de Paris.

Depuis Louis le Jeune jusqu'à François Ier, tout menton français fut rasé. On voit encore une lettre de Henri second au chapitre de Reims pour le prier de recevoir un archevêque barbu, parce qu'il allait dans un pays où la barbe était de mode.

———

Tout a changé en France: gouvernement, langue, habits, manière de combattre.

———

Notre roi Jean accorda une charte pareille à celle que Jean sans Terre donna; mais les Français ne sont pas faits pour la liberté: ils en abuseraient.

———

L'ordre du tiers état commence sous Philippe le Bel.

———

On portait, sous Henri II, des braguettes d'un pied, au fond desquelles on mettait d'ordinaire une orange qu'on présentait aux dames. Alors les dames baisaient tout le monde à la bouche.

———

Henri III, pour avoir fait tuer le duc de Guise sans lui couper la tête avec un peu de cérémonie, passa pour un assassin.

———

Sous le roi Jean, un nommé La Rivière mort en prison, eut la tête coupée après sa mort.

———

Le parlement bannit Charles VII, condamna le duc de Lorraine sous Charles VI à être écartelé, le duc de Mercœur sous Henri IV, la maréchale d'Ancre à être brûlée comme sorcière, fit instruire le procès de Henri III, mit à prix la tête de l'amiral Coligny et du cardinal Mazarin (chacune à cinquante mille écus, c'est un prix fait), donna un arrêt pour Aristote et un contre l'émétique.

———

Dans l'antichambre de la chapelle de Sixte-Quint est peint le massacre de la Saint-Barthélemy : *Pontifex Colinii necem probat.*

———

Le gouvernement de France, d'Espagne, ne veut qu'une religion. Le gouvernement turc permet toutes les sectes aux peuples conquis.

———

En une république, le tolérantisme est le fruit de la liberté et l'origine du bonheur et de l'abondance.

———

Les rois sont avec leurs ministres comme les cocus avec leurs femmes : ils ne savent jamais ce qui se passe.

RÉFLEXIONS

Sur l'origine du pouvoir des jésuites

Saint Ignace était un imbécile; renonciation aux dignités par humilité, cause de leur grandeur. Vœu d'enseigner la jeunesse au lieu d'aller prêcher les infidèles, parce que les chemins étaient alors impraticables. Leur gouvernement monarchique, ayant toujours à leur tête un vieillard expérimenté et modéré.

———

Dans la guerre de Paris, le parti royal eut enfin le dessus, parce que ses ennemis furent toujours divisés d'intérêt. Personne ne combattit pour la liberté, et, le peuple n'ayant, dans cette guerre, ni le fanatisme de la religion, ni l'enthousiasme de la liberté, tout fut bientôt calmé. En ce temps, les horreurs les plus honteuses se commettaient avec un esprit de plaisanterie, et on faisait la guerre avec des chansons et des vaudevilles.

———

FAITS

Tirés de l'histoire de Turenne

1650. Turenne, beaucoup plus faible que ses panégyristes ne le représentent, trahit le roi, dont il commandait l'armée, et il n'y eut d'autre raison de sa trahison que son amour pour Mme de Longueville, qui se moquait de lui. Il trahit, en 1672, le secret du roi par une semblable faiblesse pour Mme de Coetquen, qui le paya du même mépris.

———

La duchesse de Longueville et lui firent un traité avec l'Espagne. Turenne voulut débaucher l'armée qu'il commandait; mais il fut sur le point d'être arrêté, et le marquis de La Ferté tailla en pièces quelques troupes que le vicomte avaient entraînées dans sa révolte.

———

Condé méprisé par Cromwell qui ne voulut jamais s'unir avec lui.

Je crois qu'on ne peut guère juger du génie et des vues d'un ministre que dans le calme des affaires, parce qu'alors, étant le maître, il est coupable de tout le bien qu'il ne fait pas; mais, dans la tempête, il n'est point responsable du vaisseau dont on lui arrache le gouvernail: c'est ce qui me fait mépriser Mazarin sans trop admirer Richelieu.

———

Dans l'Espagne il y eut aussi des mouvements à l'occasion du jésuite Nitard. Cet homme, qui rassemblait l'insolence d'un Espagnol, d'un jésuite et d'un prêtre, dit au duc de Lerme: «Vous me devez du respect, puisque j'ai tous les jours votre Dieu entre mes mains, et votre roi à mes pieds.»

———

Religion

Dans les pays où l'on a liberté de conscience, on est délivré d'un grand fléau: il n'y a point d'hypocrites.

———

FAITS

*Détachés de l'histoire de France
qui peuvent servir d'exemple
ou faire connaître le génie du siècle*

L'astrologie avait tellement infatué les princes que le marquis de Saluces quitta le parti de la France pour celui de l'empereur sur une prédiction.

———

Le parlement de Paris donna un arrêt contre l'empereur Charles Quint, ce que l'Europe trouva aussi ridicule que son arrêt contre l'antimoine.

———

Henri VIII fit consulter notre Sorbonne sur son mariage avec Anne Boleyn et acheta leur avis (au rapport de de Thou). Cette digne Sorbonne a condamné Henri III et a justifié l'assassinat du duc d'Orléans.

———

De Thou est un pauvre physicien ; il dit que, le corps de Zwingle, tué dans la bataille de Saint-Gal, ayant été brûlé, son cœur ne put jamais être consumé, et il assure qu'il y a beaucoup de personnes qui ont une partie de leur corps sur laquelle le feu ne peut agir.

———

Cette même Sorbonne vint au Louvre accuser l'évêque de Mâcon, Pierre Chatelain, d'hérésie, parce qu'il avait dit en son oraison funèbre que François Ier n'avait point passé par le purgatoire; sur quoi Jean de Mendoze, premier maître d'hôtel du roi, leur dit: « Messieurs, je sais, etc., mais, s'il y a passé, ce n'a été que pour boire un coups. » *(De Thou)*.

———

Religion

Les prêtres sont aux monarques ce que les précepteurs sont aux pères de famille; il faut qu'ils soient les maîtres des enfants, mais qu'ils obéissent au père.

———

Science

Il était ridicule autrefois d'être savant, parce que les sciences étaient ridicules en elles-mêmes. Un homme qui savait tout ce que l'Ecole enseigne ne savait que des impertinences; mais aujourd'hui il est permis même à une femme de savoir, parce qu'en effet la lecture des bons livres et les vérités mathématiques n'ont rien que de respectable. Le goût manquait en France jusqu'à Louis XIV, parce que le royaume n'était pas assez florissant pour que les beaux-arts, qui sont enfants de l'abondance, de la société et de l'oisiveté, fussent de mode.

———

POLITIQUE

Les pauvres gens, qui prétendent qu'on doit se gouverner à Paris comme à Lacédémone, et que les mêmes lois sont bonnes également pour nos Parisiens voluptueux et pour des Hollandais !

———

Quand il plaît au roi de créer des charges, il plaît à Dieu de créer des fous pour les acheter.

———

Les jésuites font commerce de diamants aux Indes ; ils les enferment dans les talons de leurs souliers, et écrivent qu'ils foulent aux pieds les richesses de l'Europe.

———

Le cardinal de Fleury a dit à l'ambassadeur de S... que, pour rendre les jésuites utiles, il faut les empêcher d'être nécessaires.

———

« Il est doux d'être gouverné, me disait M. de F... — Oui, lui dis-je, c'est un plaisir de roi. »

———

Le docteur Switt dit que les Anglais, pour faire accroire qu'on est riche en Irlande et qu'on peut taxer les Irlandais sans les fouler, viennent chier à leurs portes, et font ainsi courir le bruit qu'on a en Irlande de quoi manger.

Descartes écrit à la princesse Elisabeth que le roi Charles Ier est fort heureux d'être mort par la main du bourreau, que cela est fait tout d'un coup, et que ce sont ceux qui meurent dans les douleurs des maladies avec des médecins, qui meurent en effet par la main du bourreau.

Grégoire le Grand fait brûler la bibliothèque Palatine afin qu'on ne lise que les livres de Grégoire le Grand.

CONTRADICTIONS

Un échevin est anobli, un lieutenant général paye la taille. La femme d'un colonel entre dans les carrosses de la reine, celle du chancelier n'y entre pas. Un président est méprisé à la cour pour une charge qui l'honore dans le royaume. Les jours de la semaine sont païens, et nos mois aussi; mais nous sommes chrétiens. On défend les spectacles la semaine sainte, et on permet la foire. Les bouchers ne peuvent étaler le vendredi, mais bien les rôtisseurs. On vend des estampes le dimanche, et point de tableaux. Les comédiens sont excommuniés *par le pape, sont payés* par le roi. Un lieutenant général non anobli paye la taille, un échevin est noble.

———

On a fait imprimer Lucrère *ad usum Delphini*, cours d'athéisme complet; on a brûlé Vanini comme athée, lui qui n'a écrit qu'en faveur de l'existence de Dieu, et l'incrédule La Mothe Le Vayer a été précepteur du roi et de Monsieur.

———

Si on écrivait comme Salomon, on serait brûlé.

———

MAHOMÉTISME

Selon Mahomet, il y a eu cent treize prophètes : il est le cent quatorzième.

———

Une secte de Persans dit qu'Adam et Eve furent créés au quatrième ciel, où il n'était pas permis de chier : mais qu'Eve ayant fait une galette et en ayant donné au bonhomme, il fallut aller à la garde-robe sur la terre, qui est la chaise percée de l'univers. Mais pourquoi un cul dans le quatrième ciel ?

———

Mahomet est cocu, puis meurt en bandant.

———

Dit qu'il n'y a que 5 cent lieues de Vénus à Mars. Ce n'est pas lui qui le dit, c'est le sunnite Boirà grand docteur. Il étoit si ignorant qu'il appelle Marie mère de Jésus sœur d'Aaron. C'est une chose plaisante de voir avec quelle subtilité les théologiens turcs defendent cette ânerie.

———

Il y eut une grande dispute à Constantinople, chez les chrétiens, pour savoir si la lumière du Thabor était créée ou incréée.

————

La loi mahométane ordonne de se laver le cul avec la main gauche, et défend de se servir de papier, car
  « Toujours laisse aux couilles esmorche
  Qui de papier son hord cul torche[1]. »

————

On baisse les yeux, on s'anéantit devant le prodigieux mérite de ceux qui gouvernent: on approche d'eux, on est étonné de leur médiocrité. On voit que les affaires de ce monde sont un jeu que tout le monde joue à peu près également. On voit que Richelieu et Ximenès étaient des hommes fort communs.

————

Anecdotes concernant l'histoire des lettres,
et des spectacles

Le roi choisissait lui-même les sujets que lui proposaient Quinault. Tous les prélats assistaient alors à l'Opéra et à la Comédie.

————

Lorsqu'on maria Anne d'Autriche, il vint des comédiens espagnols à Paris.

————

1. Rabelais, liv. I, ch. XIII.

Lorsqu'on maria Mademoiselle à Charles II, roi d'Espagne, un nommé Guichard voulut établir un Opéra français à Madrid. Il y mourut de faim.

———

Le roi donnait aux acteurs de l'Opéra, quand ils venaient à Versailles, 3 livres 10 sous par jour, une bougie, un pain, etc., un demi-louis à chaque actrice et leurs habits.

———

Viviani est le plus grand machiniste qu'ait eu l'Opéra de Paris, mais il ne travailla qu'au *Triomphe de l'Amour*. On ne voulut pas lui donner 8.000 livres par an qu'il demandait.

———

Nos tragédies, admirables, mais nos spectacles ridicules et barbares; nos salles ingrates pour la voix; nulle connaissance, jusqu'à présent, de l'architecture théâtrale.

———

Quelle honte de n'avoir, pour jouer *Mithridate* et le *Tartuffe,* que le jeu de paume de l'Etoile, avec un parterre debout et des petits-maîtres confondus avec les acteurs! En Hollande même, il y a un théâtre convenable.

———

L'histoire de la Matrone d'Ephèse se trouve dans un vieux livre chinois.

Le lettré Ouang rencontre une jeune femme éplorée, au bord de la mer; elle était sur le tombeau de son mari et remuait un grand éventail. «Pourquoi ce travail, madame? — Hélas! mon cher mari m'a fait promettre que je ne me remarierais que quand ce tombeau serait sec, et je l'évente pour le sécher. » Ouang raconte cette histoire à sa femme, qui frémit d'horreur et qui lui jure qu'elle ne se servira jamais de l'éventail. Ouang fait une maladie et contrefait le mort; on le met au cercueil. Aussitôt paraît un jeune homme fort joli, qui vient pour étudier chez le lettré, etc. Il plaît, on l'épouse. Il tombe en convulsions; son vieux valet fait accroire à la dame qu'il faut la cervelle d'un mort pour le guérir, et la bonne femme va fendre la tête à son mari Ouang, qui sort de son tombeau.

————

L'histoire de Berthe, assiégée par Adalbert. Elle fait appeler en secret chaque officier, et couche avec chacun d'eux en les faisant jurer qu'ils ne porteront jamais les armes contre elle. Adalbert, à son tour est obligé d'y venir lui-même.

————

MADAME DACIER

Dans sa préface d'Aristophane

Les Athéniens étaient bien sages de souffrir qu'Aristophane se moquât de leurs susperstitions. Plût à Dieu que certains peuples que nous connaissons en usassent ainsi !

———

Ceux qui ne lisent que les anciens sont des enfants qui ne veulent parler jamais qu'à leurs nourrices.

———

Bernier disait que l'abstinence des plaisirs est un péché.

———

Marivaux imprima qu'un âne avait mangé un quarteron de beurre enfermé dans une feuille d'Homère. Danchet, son approbateur, ajoute: *travesti*.

———

PHILOSOPHIE

Le Père Renaud appelle les expériences de Newton un système, et ensuite il propose un système de son fonds, contre ces expériences.

Origine de la physique. 4e lettre. Hercule physicien; autorité d'un physicien de cette force.

«J'aime les miroirs, dit le révérend Père. — Je n'en suis pas surpris», reprend l'interlocuteur.

Voyons si le vide existe ailleurs que dans votre bourse *(Idem)*.

Dieu ayant créé la nature, la nature a produit le monde.

Le feu tend en bas, selon lui.

Les hommes se trompent, les grands hommes avouent qu'ils se sont trompés. Il ne manque au révérend Père qu'un aveu pour être un grand homme.

Il a découvert, livre v, chapitre LCCXLV, que ce sont de petites roues engrenées qui sont les ressorts primitifs de la nature, et que tout est roue *(Livre rare)*.

Son plan pour apprendre la musique: division en

124 traités, pour le soulagement de la mémoire, comme étendue, souplesse, sensibilité, justesse, etc. Clavecin oculaire. Il commence par démontrer que les hommes aiment le plaisir, et ensuite que la peinture est un plaisir.

————

Parmi tous les sophismes et toutes les absurdités dont Platon a farci son *Traité de l'immortalité de l'âme,* on trouve qu'il croyait que l'on perd les yeux en regardant une éclipse de soleil ailleurs que dans son seau d'eau.

Une de ses preuves de l'immortalité de l'âme est que le dormir naît de la veille, et la veille du dormir.

————

Le bon Platon, dans sa *République,* assure que Dieu n'a pu créer que cinq mondes, parce qu'il n'y a que cinq corps réguliers.

Descartes, dans ses lettres au Père Mersenne, dit qu'il est bien aise que les ministres calvinistes se révoltent contre le mouvement de la terre, parce qu'il espère que les catholiques le croiront par cette seule raison.

————

B. de Palissy, potier de terre au XVe siècle, est le premier qui ait dit que la terre était pleine de monuments que les eaux y avaient laissés. Les coquillages de Touraine, nommés *falun,* en sont une bonne preuve; ils démontrent que ce n'est point un déluge subit qui les a amoncelés, mais que l'eau de la mer les a formés insensiblement par couches, dans un grand nombre de siècles.

————

Les Français n'ont point de part aux inventions de la poudre, des moulins à vent, de l'imprimerie, de la faïence, des horloges, des fortifications, de la chimie, de l'algèbre, des manufactures de soie, de glaces, de lunettes, de télescopes, de la géométrie ; les beaux-arts cultivés tard ; le nouveau monde, la boussole, etc., compas de proportion, machine pneumatique, notes de musique, instruments, opéra, spectacles.

———

Pline dit que les étoiles tombantes sont des étoiles qui se mouchent.

———

C'est le Père Schall et Verbiest qui ont saintement appris à la Chine l'usage du canon ; on n'y connaissait que les feux d'artifice.

———

Gassendi dit que le monde cache son âge.

———

Le Père Castel dit que le dernier satellite de Jupiter succèdera à Jupiter, parce que les grands seigneurs tiennent leurs successeurs éloignés.

———

PHYSIQUE

On s'est moqué de Pythagore pour avoir dit que Dieu avait arrangé le monde suivant des proportions harmoniques; mais Képler, au bout de trois mille ans, l'a justifié. Les proportions dans lesquelles les sphères célestes se meuvent pouvaient être harmoniques, sans que pour cela on doive penser que ce soit un concert de musique.

———

Le hasard fait tout: c'est un cordonnier qui, en s'imaginant qu'il trouverait de l'argent dans la pierre de Boulogne, s'avisa de la calciner, et trouva cette lumière qu'on a depuis trouvée dans tous les métaux.

———

En 1600, Marius de Brandebourg vit les satellites de Jupiter, avant Galilée, qui ne les vit qu'en 1610. Fabricius vit le premier les taches du soleil. Anaximandre de Milet trouva l'obliquité du Zodiaque chez les Grecs.

———

Pline dit que s'il y a un Dieu, c'est le soleil, et se moque de la pluralité.

———

Le baron de Fœneste dit que la terre est ronde, mais que le soleil revient sur ses pas, et, si on ne le voit pas, c'est qu'il marche de nuit.

———

En 1572, année de la Saint-Barthélemy, il parut pendant six mois une étoile nouvelle, plus grande que Jupiter, et on ne cria point au miracle.

———

PHILOSOPHIE

Il me paraît que toutes les vérités de morale, de physique, d'histoire même, sont également certaines, également vérités ; preuve : le vrai ne reçoit ni plus ni moins. Les vérités mathématiques sont éternelles : jamais un triangle ne sera égal à trois angles droits, mais bien toujours à deux. Les vérités historiques peuvent changer, Rome peut demain n'être pas ; mais, tandis qu'elle est, son existence est aussi vraie que les propriétés du triangle : car elle ne peut pas être et n'être point. Et voilà le seul fondement des vérités mathématiques.

———

Un homme fait sur la terre la même figure qu'un pou d'une ligne de hauteur et d'un cinquième de largeur sur une montagne de 15,700 pieds ou environ de circuit.

———

Aeneas Silvius Piccolomini, couronné poète et puis couronné pape, prit le nom de Pie. Sa devise : *Sum pius Aeneas.*

———

L'évêque de Langres avait fait mettre sur sa porte :
Regi, legi, gregi. Comme il foutait Mme de Brégi, on
mit : « *Regi, legi, gregi, Bregi.* »

PENSÉES DÉTACHÉES

On fait toujours trop d'honneur aux desseins des hommes. L'établissement des jésuites semble le chef-d'œuvre de la politique: c'était l'ouvrage d'un fou et d'un imbécile fanatique (Ignace de Loyola); mais toutes les circonstances se sont réunies en faveur des jésuites. Ils ont tous les tourments de l'ambition, sans en avoir les agréments. Un jésuite gouverne presque un royaume, mais il n'a pas un valet, et sa cellule est sans cheminée; il passe sa vie dans la politique et dans la misère, et se sert de tous les ressorts de la prudence pour conduire sa folie.

————

On pourrait (au moins poétiquement) comparer deux hommes puissants, qui paraissent ennemis en public et qui en secret sont réunis, à deux arbres plantés à grande distance l'un de l'autre, mais dont les racines se joignent sous terre.

————

Apprendre plusieurs langues, c'est l'affaire d'une

ou deux années ; être éloquent dans la sienne demande la moitié de la vie.

———

Jules César subjugua trois cents nations en Gaule ; s'il n'y en avait eu qu'une, il n'eût rien subjugué peut-être.

———

La religion juive, mère du christianisme grand-mère du mahométisme, battue par son fils et par son petit-fils.

———

La plupart des hommes sont comme la pierre d'aimant, ils ont un côté qui repousse et un autre qui attire.

———

Pour avoir quelque autorité sur les hommes, il faut être distingué d'eux. Voilà pourquoi les magistrats et les prêtres ont des bonnets carrés.

———

Les deux plus grands protecteurs des belles-lettres ne savaient pas le latin : M. Colbert et Louis XIV.

———

Dans la passion, on reçoit un bon conseil d'un homme très peu sage, comme un corps robuste attaqué de maladie peut être guéri par un médecin infirme.

———

Les pensées d'un auteur doivent entrer dans notre âme comme la lumière dans nos yeux, avec plaisir et sans effort ; et les métaphores doivent être comme un verre, qui couvre les objets, mais qui les laisse voir.

———

On n'est de bonne compagnie qu'à proportion qu'on a de la coquetterie dans l'esprit.

L'Académie française est comme l'Université: l'une et l'autre étaient nécessaires dans un temps d'ignorance et de mauvais goût: elles sont aujourd'hui ridicules.

———

Les comédiens sont entretenus par le roi et excommuniés par le curé.

———

Les magistrats ordonnent le carnaval, et les religieuses se fouettent pour en demander pardon à Dieu.

———

Les vendredis, il est défendu aux bouchers de vendre de la viande, et les rôtisseurs en peuvent vendre.

———

Les dimanches on ferme les boutiques de tableaux et on vend des estampes.

———

Quand on ne voyage qu'en passant, on prend les abus pour les lois du pays.

———

Si les prêtres s'étaient contentés de dire. «Adorez un Dieu et soyez justes», il n'y aurait jamais eu d'incrédules ni de guerres de religion.

———

Nous sommes malheureux par ce qui nous manque, et point heureux par les choses que nous avons: dormir, etc., n'est point un bonheur; ne point dormir est insupportable.

———

Il n'y a que les faibles qui fassent les crimes: le puissant et l'heureux n'en ont pas besoin.

———

Toutes les religions, hors la nôtre, sont l'ouvrage des hommes : c'est pourquoi elles diffèrent. La morale est la même : elle vient de Dieu, et est nue comme lui.

———

Si la lumière vient des étoiles en vingt-cinq ans, Adam fut vingt-cinq ans sans en voir.

———

Ceux qui ont trop scrupuleusement recherché les principes d'un art se tirent quelquefois tellement du vulgaire qu'ils ne peuvent plus juger de l'effet qu'un ouvrage fera sur le commun des hommes : car, à force de méditations, on ne sent plus, et on ne peut plus, par conséquent, deviner les sentiments des autres.

———

Les gueux et les voleurs ont un argot ; mais quel état n'a pas le sien ? Les théologiens et surtout les mystiques n'ont-ils pas leur argot ? Le blason n'en est-il pas un ? Est-il plus beau de dire *gueules* ou *sinople* au lieu de *rouge* et *vert*, que *pitancher du pivois* au lieu de dire *boire du vin* ?

———

D'où vient que les Italiens sont de si mauvais philosophes et de si fins politiques ; les Anglais, au contraire ? N'est-ce pas que, la politique étant l'art de tromper, de petits esprits en sont plus capables ?

———

Ceux qui ont écrit sur l'homme n'ont jamais écrit sur l'homme en général. Le Père Malebranche regarde l'homme comme une âme chrétienne ; La Bruyère, comme un Français qui a des ridicules, etc. Celui qui ferait un traité des chiens devrait-il ne parler que des épagneuls ? Il y a des hommes noirs, blancs, jaunes, barbus, sans barbe; les uns nés pour penser beaucoup, les autres pour penser très peu, etc.

————

Sermon prêché devant les puces

Mes chères puces, vous êtes l'ouvrage chéri de Dieu, et tout cet univers a été fait pour vous. Dieu n'a créé l'homme que pour vous servir d'aliment, le soleil que pour vous éclairer, les étoiles que pour vous réjouir la vue, etc.

————

Il paraît que la Nature nous a donné *l'amour-propre* pour notre conservation, et la *bienveillance* pour la conservation des autres. Et peut-être que, sans ces deux principes, dont le premier doit être le plus fort, il ne pourrait y avoir de société.

————

Quand on cherche à traduire, il faut choisir son auteur, comme on choisit un ami, d'un goût conforme au nôtre.

————

Voulez-vous avoir, en écrivant, de la réputation ? Imitez les négociants, qui se gardent bien de se charger de marchandises communes. Choisissez un genre nouveau, et, s'il n'y en a point, ne faites rien, car il n'y a point de réputation pour vous.

————

On admire Marot, Amyot, Rabelais comme on loue les enfants quand ils disent par hasard quelque chose de bon. On les approuve parce qu'on méprise leur siècle, et les enfants parce qu'on n'attend rien de leur âge.

————

Le Père Malebranche apportait les résurrections des insectes en preuve de la résurrection prétendue de l'âme. Il se trompait sur le premier fait aussi bien que sur le second.

————

Les calomniateurs sont comme le feu, qui noircit le bois vert, ne pouvant le brûler.

————

Un vieillard est un grand arbre qui n'a plus ni fruits ni feuilles, mais qui tient encore à la terre.

————

Les paroles sont aux pensées ce que l'or est aux diamants; il est nécessaire pour les mettre en œuvre, mais il en faut peu.

————

Un imitateur est un estomac ruiné, qui rend l'aliment comme il le reçoit.

————

Les pensées usées sont les haillons du Parnasse; mais à présent il y a bien peu d'étoffes neuves.

————

Un imbécile a dit: «J'ai envie de me faire appeler Virgile et Cicéron, afin que la postérité parle toujours de moi.» Il avait plus raison qu'il ne pensait: la renommée, qui n'est rien, lui appartenait comme à ceux qui ne sont plus, et réellement n'est à personne.

————

Un livre défendu est un feu sur lequel on veut marcher, et qui jette au nez des étincelles.

———

Il en est de la conversation comme des sciences : tout est devenu lieu commun.

———

Un livre doit être, comme un homme sociable, fait pour les besoins des hommes.

———

Quand un homme se porte bien, il a toutes les passions, c'est un vaisseau à toutes voiles. Dans la maladie, il n'a que la passion de guérir, tant la nature est sage.

———

Les politiques ne sont pas les inventeurs de la religion. Ceux qui ont mis les taureaux au joug ont trouvé leurs cornes toutes faites.

———

Il n'y a que les ouvriers qui sachent le prix du temps ; ils se le font toujours payer.

———

Il semble que les Européens soient tous médecins : tout le monde demande comment on se porte.

———

Un simple mécanicien comme l'abbé Nollet, qui ne sait autre chose que les expériences nouvelles, est meilleur physicien que Démocrite et Descartes ; il n'est pas si grand homme, mais il sait plus et mieux.

———

SUITE
DES CONTRADICTIONS

La reine d'Espagne a conquis Oran et la Sicile, donné des lois à l'Amérique, et ne peut jouir de la ville de Gibraltar.

——

En France, les femmes sont régentes, et non reines ; ailleurs, reines, et non régentes.

——

Je crois que les Romains, avec leur urbanité, n'avaient rien de notre politesse. Des magistrats venaient demander leur dîner, à la porte des riches. On ne buvait point du même vin. Les convives avaient chacun leur portion. Horace loue son ami de ce qu'il ne se fâche point de ce que son ami a pissé sur ses meubles, etc.

——

Le plaisir donne ce que la sagesse promet.

——

Les passions sont au goût ce que la faim canine est à l'appétit.

——

Les Etats, les lois, tout est fait de pièces et de morceaux.

———

Ceux qui ne sont qu'éloquents se moquent volontiers des savants : Cicéron osa se moquer de la correction du calendrier par César.

———

MIRACLES

Une chose très remarquable, c'est que, dans toutes les disputes qui ont partagé les chrétiens, Rome a toujours pris le parti le plus opposé à la raison humaine.

———

Le lit découvre tous les secrets.

———

JUIFS

Saint François tua le fils d'un médecin pour avoir le plaisir de le ressusciter.

———

Marthe dit à Magdelon : « L'abbé Jésus prêche aujourd'hui, allons l'entendre. » Magdelon se met à sa toilette, va ensuite au sermon, donne à dîner au prédicateur.

———

Dans leur Talmud, il est dit que Dieu se maudit trois fois toutes les nuits pour avoir abandonné son peuple ;

Qu'il n'y aura de damnés que ceux qui ont voulu se faire dieux.

———

On fait tous les ans, à Saint-Jean en Grève, une procession en mémoire d'une prétendue hostie qu'un juif perça à coups de couteau, et qui resta toute sanglante. Même chose à Bruxelles.

———

Peuple grossier et qui a imité dans ses livres les fables ingénieuses des Chaldéens et des Egyptiens, comme les auteurs barbares de la *Légende dorée* ont attribué à leur saints toutes les fables des Grecs. Par exemple, la boîte de Pandore, inventée en Egypte, l'œuf créé par Orosmade, percé par Arimane, qui y introduisit le mal moral et le mal physique, sont les tableaux d'après lesquels on a fait la copie misérable d'Eve et de la pomme.

———

Nota que les peuples de la Thébaïde reconnaissaient un seul Dieu, un seul principe, nommé *Knef,* et qu'ils sont les premiers qui aient imaginé le système de l'immortalité de l'âme. Cependant Moïse, qui admit un seul principe, à l'imitation de ce *Knef,* n'osa jamais admettre cette immortalité. Il y a grande apparence qu'il était fort mal instruit, et qu'il mena un peuple plus grossier que lui.

———

Ils se coupaient le prépuce en l'honneur de Dieu, chose très conséquente. Les Hottentots sont bien plus dévots : ils se coupent une couille.

———

Nous cherchons tous le bonheur, mais sans savoir où, comme des ivrognes qui cherchent leur maison, sachant confusément qu'ils en ont une.

———

FAITS DÉTACHÉS ET BONS MOTS

La devise da la maison de Bourbon est: *Qui qu'en grogne.*

———

Saunderson, aveugle-né, professeur de mathématiques à Cambridge, a fait un beau traité d'optique.

———

Un dominicain demandait une grâce au roi d'Espagne. Le roi lui dit: « J'en parlerai à mon conseil. — Sire, reprit le moine, une dame me demandait hier à confesse, à quel saint il fallait se vouer pour avoir des enfants : « Madame, lui dis-je, je ne m'adresse jamais à d'autres pour les choses que je puis faire par moi-même. »

———

Madame de Longueville à M. de ✳✳✳ : « Je viens de confesse; j'y ait été trois quarts d'heure, et j'ai eu le plaisir de n'y parler que de vous. »

———

Si Dieu nous a faits à son image, nous le lui avons bien rendu, un pape disait.

———

La reine Christine disait à Pimentel, en voyant un tableau de la Vierge et du Bambin: «Elle n'a eu qu'un fils, et que de guerres à son occasion! Si elle avait eu deux enfants, la terre serait dépeuplée.»

———

Lévi, juif, capitaine de vaisseau, prit un beau collier à une sainte Vierge à Carthagène: «Ma cousine, dit-il, ces parures sont trop mondaines.»

———

Un curé donna à une vieille un jeton d'ivoire pour une hostie: «Je crois, dit-elle, que vous m'avez donné le Père éternel, tant il est coriace: je ne peux l'avaler.»

———

«Messieurs, M. le curé nous prêchera dimanche le miracle de cinq personnes nourries avec trois mille pains et cinq mille poissons.» A cette annonce, tout le monde se met à rire. «Petit malheureux, cria le curé, c'est tout le contraire! Va dire que c'est trois mille personnes nourries avec cinq pains et trois poissons. — Ah! monsieur, si je l'avais dit comme ça, on aurait ri bien davantage.»

———

«Combien y a-t-il de dieux? demandait un curé à un paysan. — Il y en a trois. — Va-t-en, coquin! Je ne te marierai point.» Le paysan s'en va et trouve en chemin son camarade, qui allait se marier, et lui conte son cas. «Parbleu! dit l'autre, j'aurais répondu: il n'y en a qu'un. — Va, va, dit le premier, comme tu seras marié! Je lui en ai baillé trois, et il n'a pas été content.»

———

Dans la *Fleur des Saints,* saint Amable fait le voyage de Rome accompagné d'un rayon de soleil qui lui portait en l'air ses gants et son chapeau.

———

Les moines de Saint-Denis ont écrit qu'ils avaient vu Charles Martel emporté par le diable, parce qu'il les avait fait contribuer aux besoins de l'Etat.

———

Histoire du saint Indien (dans Bernier), qui foutait son ânesse, et le peuple criait «Hosanna! oh! le saint! le saint! Il n'en veut ni à nos femmes, ni à nos filles; il fout son ânesse par humilité» *(Rapporté dans Locke).*

———

Milord Brunker, à son maître d'hôtel, qui accusait un palefrenier de foutre sa jument: «Je ne me mêle pas de leurs amours.»

———

Mme Acosta dit, en ma présence, à un abbé qui voulait la faire chrétienne: «Votre Dieu est-il né juif? — Oui. — A-t-il vécu juif? — Oui. — Est-il mort juif? — Oui. — Eh bien! soyez donc juif.»

———

Saint Jérôme fouetté par les anges pour avoir lu avec trop de plaisir Cicéron et Plaute.

———

EXEMPLES
DE GRANDEUR D'ÂME

Cicéron, obligé selon l'usage de faire serment qu'il avait observé les lois, et de rendre compte de son administration, dit en présence de ses ennemis, qui craignaient son éloquence et qui voulaient l'empêcher de parler longtemps : « Je jure que j'ai sauvé la République. »

———

Le duc de Guise au siège de Rouen : « Votre religion vous enseigne à m'assassiner, et la mienne à vous pardonner. »

———

Périclès, ayant écouté en secret des ambassadeurs qui proposaient un moyen sûr de rendre Athènes victorieuse, assemble le peuple et lui assure que ce moyen était infaillible. « Est-il honnête ? demandèrent les Athéniens. — Non, dit Périclès. — Nous n'en voulons donc point. »

———

Henri IV demandait à l'ambassadeur Don Pèdre si le roi d'Espagne était amoureux, Don Pèdre dit que son roi n'était pas si faible. « Comment! dit Henri; n'a-t-il pas assez de vertus pour payer un vice ? »

———

Quelqu'un venait de se servir avec le roi du mot de *raison péremptoire*. « Savez-vous ce que c'est que *raison péremptoire* », dit-il à Cavois. Cavois ne répondit rien. « C'est, dit le roi, une raison à laquelle il n'y a pas de réplique. — C'est ce qui fait, dit Cavois, que je ne répliquais mot. »

———

Le roi fit un signe de bonté à un pauvre diable fort mal vêtu. Le comte de Grammont prit la liberté de demander au roi comment il connaissait cet homme. « Il m'a bien servi, dit le roi. — On le voit bien à son habit! » dit le comte.

———

Un bon huguenot, parlant des persécutions de ses frères, dit de l'un d'eux, qui s'était sauvé: « Enfin Dieu l'abandonna, il ne fut pas pendu. »

———

Un homme assembla la faculté de Montpellier pour avoir leur avis sur un cas singulier. Il s'était raccommodé avec de la poix résine une jambe cassée. Chacun raisonna et prouva que la poix résine était propre à raccommoder les jambes. Il se trouva que c'était une jambe de bois.

———

M. le duc d'Orléans, pour s'excuser de ne point

tenir ses promesses, disait: «Ces gens-là prennent des paroles d'honnêteté pour des paroles d'honneur.»

———

M. de Langeais perdit à la fois deux procès: il fut déclaré impuissant par un arrêt, et condamné par un autre pour avoir fait un enfant.

———

La mère de M. de Monconseil, ayant intenté contre son mari un procès d'impuissance, accoucha chez un de ses juges.

———

J'ai la copie d'un arrêt du parlement de Grenoble qui déclare que la dame d'Apremont a été engrossée en songeant à son mari, et qui rend légitime son fils, né deux ans après que le mari avait été fait esclave à Alger.

———

A la chambre des poisons, M. de Nevers accusa son cuisinier, disant que c'était le plus grand empoisonneur de Paris.

———

Sur une paillardise de la bonne Marguerite, Henri III écrivit au roi de Navarre et lui conta le tour; mais, les choses étant apaisées, il lui écrit de nouveau que ce sont pures calomnies et que l'on en avait dit autant de la reine sa mère. «Le roi, mon beau-frère, dit Henri IV, me traite, par sa première lettre, de cocu, et, par la seconde, de fils de putain.»

———

La phrase ordinaire de Cromwell était de *chercher le Seigneur*. C'est avec ce jargon et son épée qu'il soumit l'Angleterre. Un jour il buvait avec Milton et Walter:

tous trois étaient sous la table à ramasser un tire-bouchon. Les députés du clergé arrivèrent; on les fit attendre, et Cromwell dit: «Ces faquins-là croient que nous cherchons le Seigneur, et nous ne cherchons que le tire-bouchon.»

—————

Le dernier premier président de Mesmes avait entre ses mains une lettre du Père Poisson, cordelier, qui commençait ainsi: «Le vit m'est allongé d'un demi-pied, ma chère Flonflon, en lisant ta lettre. Je vais prêcher un bon carême, et cela servira pour tes couches.»

—————

Mme de Laon disait à La Mésangère: «Je voudrais bien que quelqu'un me le mit. — Et moi aussi, madame.»

Il manda à Nocé: «Monsieur, ma belle-mère a ordonné par son testament qu'on la fît enterrer auprès de son mari; ainsi je vous prie de me mander où et quand vous voulez qu'on vous enterre.»

—————

L'abbé Gravina saluait toujours les chevaux: «Nous leur avons, disait-il, grande obligation, car sans eux, nous tirerions les carrosses des cardinaux.»

—————

NAÏVETÉS, MÉPRISES, ABSURDITÉS

Un Irlandais lisait ce qu'écrivait un Anglais. Celui-ci, qui s'en aperçut, continua et écrivit : « Je ne peux pas vous en dire davantage, parce qu'un maudit Irlandais regarde par-dessus mon épaule. — Vous en avez menti, s'écria l'Irlandais, je n'ai rien lu. »

————

Un capucin disait : « Dieu a mis sagement la mort après la vie : car s'il avait mis la mort devant, on n'aurait pas eu le temps de faire pénitence. »

————

« Les Odes d'Horace ne sont-elles pas admirables, dit Arlequin ? Eh bien ! c'est moi qui les ai faites. — Mais il y a deux mille ans que cela est fait ? — Eh bien ! elles n'en sont pas moins bonnes. » Manière de raisonner de la plupart des hommes.

————

Le Père Talon a dédié un livre à la Trinité, et on y trouve une belle apostrophe au néant.

————

Mézeray dit que Henri V mourut des hémorrhoïdes, parce qu'il s'était assis sur le trône sacré de nos rois; que, le frère de Louis XI ayant été empoisonné par une pêche, la mort entra dans cette maison par le *péché;* que le marquis de Pont, fils du duc de Lorraine, remporta la couronne de Vénus, au lieu de celle de France.

———

Une statue de la Vierge avait pleuré; on criait au miracle, et tout le monde pleurait à genoux; un menuisier seul ne pleurait pas : on le mena devant l'Inquisition. «Hélas! dit-il, j'ai eu l'honneur de faire cette Vierge; je me souviens que je lui enfonçai trois grandes fiches dans le cul: si elle avait eu à pleurer, elle aurait pris ce temps-là.»

———

On fit présent d'un cheval noir et blanc à un curé; il disait que c'était une œuvre pie.

———

On brûlait un fanatique qui se disait le Saint-Esprit. «Ils sont malheureux dans cette famille-là, dit le chevalier de La Ferté.»

———

M. de Roussi lisait l'histoire de Charles V. Il disait qu'il lisait l'histoire de Charles V. Nous sommes bien heureux qu'il n'ait pas lu l'histoire de Charles VI.

———

Lully sur mur se mit à branler le vit d'un matelot endormi. Il se réveille en colère. *Signor*[,] dit Lulli[,] *perdona*[,] *credevo che fosse il mio.*

Il tonnoit, il branloit un petit garçon, d'une main et

74

le patinoit de l'autre. Fais le signe de la croix[,] dit-il[,] mes deux mains sont occupées.

———

Fatouville donnait la main, sur un pont fort étroit, à une petite fille: « Prenez garde, mademoiselle ! Si votre pucelage tombait il se noierait. — N'ayez pas peur, monsieur; je l'ai fait attacher ce matin avec un clou gros et long comme cela !... »

———

Un jeune homme disoit à ce bougre d'abbé d'Amfreville[,] monsieur[,] j'avois des cheveux qui me tomboient sur le cul. Ah monsieur ils étoient bien heureux.

———

JUGEMENTS SALOMONIQUES

Du duc d'Aussone: soldat qu'il fit sortir des galères, de peur qu'il ne corrompit les honnêtes gens ses camarades.

———

Un Turc prête de l'argent sans témoins; l'emprunteur refuse de payer et dit qu'il n'a rien reçu. « Avez-vous des témoins ? dit le cadi au prêteur. — Non, il n'y avait qu'un arbre. — Allez-moi chercher cet arbre tout à l'heure. » Et puis le cadi expédie d'autres affaires. Le fripon d'emprunteur reste. Un moment après: « L'arbre est bien longtemps à venir, dit le cadi. — C'est qu'il est à deux lieues d'ici, répond le fripon. — Ah! ah! dit le cadi, il est donc vrai que vous avez en effet pris son argent auprès d'un arbre ? » Et il condamne mon vilain.

———

Cavois disait: « Le Dieu des calvinistes est un roi qui, entrant dans sa capitale, dit: « Que la moitié de mes sujets soupe avec moi, et qu'on pende l'autre. » Le

Dieu des jansénistes ordonne que tout le monde le suive, et fait pendre ceux qui ont la goutte. Le Dieu des jésuites pardonne aux goutteux et donne à souper à ceux qui l'ont bien servi.»

———

«Monsieur, votre maison brûle! — Allez-vous en dire cela à ma femme. Vous savez que je ne me mêle pas du ménage?»

———

«Monsieur, madame est en apoplexie! — Montez donc! Je n'ai plus que deux lignes à écrire. Tout à l'heure! — Monsieur, madame se meurt. — J'y vais. — Monsieur, madame est morte! — J'en suis fâché, c'était une brave femme.»

———

Dans le canton de Glaritz, on taxe un soufflet dix écus. Un voyageur n'ayant point d'argent, dit à l'hôte: «Monsieur, je vous dois quatre écus. Donnez-moi un soufflet et rendez-moi mon reste.»

———

Un jacobin a écrit que les femmes n'ont point d'âme: il se fait l'objection de la Vierge, et répond qu'une hirondelle ne fait pas le printemps.

———

A la représentation de la Passion, on fouettait d'importance celui qui faisait le bon Dieu: «Va, va; tu seras le bon Dieu l'année qui vient.»

———

Un curé, le jour de Pâques, ayant perdu son missel, envoya demander au curé voisin quelle messe on dirait ce jour-là. Le curé écrivit que la messe commencerait par: *Requievit, resurrexit,* et donna le papier à un petit garçon. Le petit garçon oublia le papier et se souvint seulement que la messe devait commencer par un *requi.* « Ah! oui, oui j'entends, dit le curé, c'est une messe de *Requiem* pour Dieu, qui mourut il y a trois jours. »

———

« Ah! foutre », dit le chevalier de Breteuil en faisant coupe-gorge chez Mme d'Ons-en-Bray. — Monsieur, je ne souffrirai pas qu'on jure Dieu chez moi. — Ah! madame pardon; j'oubliais que c'était votre Dieu. »

———

Quand Casaubon vint en Sorbonne: «Voici, lui dit-on, l'endroit où l'on dispute depuis cinq cents ans. » Il demanda: «Qu'y a-t-on conclu? »

———

Mahomet était poète: son Alcoran est en vers.

———

Il fut cocu; la belle Sahissea couchait avec Safwan mais le prophète fit descendre du ciel un chapitre de l'Alcoran par lequel il fut déclaré incocufié.

———

Mahomet bandait après sa mort, toutes ses femmes l'attestèrent.

———

Testament d'un curé: «Je donne à mon vicaire, que j'aime de tout mon cœur, la somme... la somme... la *somme* de saint Thomas. »

———

Le jeu de trictrac fut inventé par les Perses, et représentait les mois, les jours et les accidents de la vie.

Le jeu d'échecs, par les Indiens. Celui qui l'inventa demanda pour récompense un grain de blé sur chaque case, en progression géométrique.

Louis XIV à Despréaux: «Pourquoi on disait un gros esprit et non un grand esprit. — C'est par la raison, dit Despréaux, qu'il y a bien de la différence entre Louis le Gros et Louis le Grand.»

NAÏVETÉS

«J'ai un an plus que lui : donc dans un an nous serons du même âge.»

———

«Si j'épouse ma tante, je serai mon oncle.»

———

Un Gascon, buvant un verre d'eau à sa dernière maladie : «On se réconcilie à la mort avec ses ennemis.»

———

Il lisait ses Heures à l'envers. «C'est que je suis gaucher.»

———

Toutes les femmes titrées voulaient baiser la main de la reine Christine. «C'est apparemment, dit-elle, parce que je ressemble à un homme.»

———

Platon dit que les âmes des parfaits amants sont les plus récompensées après la mort, et celles des tyrans les plus punies.

———

Il y avait trois dames de Pons assez laides à la cour ; on disait que c'étaient des ponts sans garde-fous, parce que personne ne voulait passer dessus.

––––

Votre savant est bien plus savant que notre savant ; mais notre ignorant est bien plus ignorant que votre ignorant.

––––

« On serait heureux, disait un vieux bougre, si les femmes n'étaient jamais venues en France. »

––––

Les hommes parlent souvent très bien de ce qu'ils ne connaissent guère.

––––

Molière, qui était cocu, n'a pas mieux parlé des cocus que Corneille, qui n'a jamais été à la cour, n'a parlé des rois.

––––

Les livres de mauvais goût aujourd'hui sont bien plus dangereux qu'autrefois, parce qu'il y a toujours du bon et quelquefois même des traits admirables. Du temps de Corneille, Hardy ne pouvait gâter personne, mais Marivaux peut gâter.

––––

Un voleur dépouillait un homme, qui l'aidait afin d'être plutôt débarrassé de lui. Le volé déchirait sa cravate : « Comment, coquin, dit le voleur, tu déchires notre cravate ! »

––––

CONTRADICTIONS

Les bons livres et les bons remèdes guérissent quelques personnes.

———

En venant au monde, on pleure et on réjouit, il faut rire en mourant et faire pleurer.

———

Le Persan Mercoud rapporte qu'Alexandre répondit à ceux qui le faisaient descendre de Jupiter : « J'ai plus d'obligations à Aristote : Jupiter m'a fait descendre du ciel en terre, et Aristote me fait remonter de la terre au ciel. »

———

Musique d'église. C'est rechercher le plaisir des sens dans les devoirs d'un culte établi pour le combattre.

———

L'espérance est un aliment de notre âme, toujours mêlé du poison de la crainte.

On a trouvé, en bonne politique, le secret de faire

mourir de faim ceux qui, en cultivant la terre, font
vivre les autres.

———

Quand les mahométans tuent un mouton, ils disent:
« Je te tue au nom de Dieu ». Vraie devise des guerres
de religion.

———

Il faut, dans le gouvernement, des bergers et des
bouchers.

———

Tout est égal. Si le bonheur était attaché à l'opu-
lence, celui qui a dix millions serait dix mille fois plus
heureux, de compte fait, que celui qui n'a que mille
pistoles.

———

L'amour-propre est comme un con[,] chose
agréable[,] nécessaire et dangereuse qu'il faut cacher, et
dont il faut se servir[.] Les canapez doivent être
comme eux, bas et larges.

———

83

CONFUCIUS : SENTENCES

L'homme de bien est comme l'archer, qui n'atteint pas toujours au but, mais qui ne s'en prend qu'à lui.

———

Un pauvre Chinois, que sa mère fouettait tous les jours et qui ne pleurait point, pleura une fois : « Ah ! dit-il, c'est que ma mère n'a pas pu me fouetter fort aujourd'hui ; elle baisse, elle mourra bientôt. »

———

Jeûner, prier, vertu de bonze ; secourir, vertu de citoyen.

———

Dans la secte des lettrés la probité règne. Chez le peuple il y a des vices : c'est qu'ils sont gouvernés par des bonzes.

———

La religion est comme la monnaie : les hommes la prennent sans la connaître.

———

Histoire de Siam

Un Siamois vit pour deux liars par jour — difficile à
    croire.
Leurs talapoints vivent comme les plus réguliers de
    nos moines.
Le roi se peint la moitié du corps en Bleu.
Les dépens des procès y sont taxés.
Le roy condamne à mort très légèrement.
Le pays est pauvre, quoi qu'on en ait dit, l'industrie
    médiocre.
Les Siamois ont un peu d'astronomie.
Ils ne paraissent pas venir des Chinois.
Ils font de la menuiserie sans clous.
Leur vernis est fort beau. Ils en envoient à la Chine.

———

Les rêves sont les intermèdes de la comédie que
joue la Raison humaine. Alors l'Imagination, se trou-
vant seule, fait la parodie de la pièce que la Raison
jouait pendant le jour.

———

Prier Dieu, c'est se flatter qu'avec des paroles on
changera toute la nature.

———

Segrais disait que l'envie de se faire religieux est la
petite vérole de l'esprit, qui prend d'ordinaire vers les
quinze ans.

———

Un plaisant conte, à mon gré, est celui de deux
époux n'ayant qu'un petit pot de chambre à eux deux:
le mari enfin pissa dans une bouteille, la femme y fit

mettre un entonnoir, etc. C'est je crois le conte du repas de la grue.

—————

Selon Montaigne, saint Augustin avait vu un homme qui commandait à son derrière autant de pets qu'il en voulait.

—————

Conte (tiré du livre de Todos Joschut)

Jésus, Pierre et Judas n'ont qu'une oie à souper. Jésus dit : «C'est trop peu ! Couchons-nous, et celui qui aura fait le plus beau songe mangera l'oie. — J'ai songé que j'étais dans le ciel, à la droite de Dieu, dit Pierre. — Et moi, dit Jésus, j'ai songé que tu étais à ma droite. — Moi, dit Judas, j'ai songé que j'ai mangé l'oie.» En effet, le coquin l'avait mangée.

—————

Le duc de Vendôme pour se faire foutre par [? un] postillon feignit d'avoir un besoin etc. Un vieux président le lendemain mené par le même postillon eut le même besoin[.] Ah j'entends[,] dit le postillon etc.

—————

86

RELIGION

Bel exemple de tolérance

Les Saducéens chez les juifs niaient l'immortalité de l'âme; ils niaient les anges, quoique l'Ecriture en parle à chaque ligne. Cependant ils jouissaient de tous les privilèges de citoyens.

————

Moïse n'admettait pas l'immortalité de l'âme.

————

Rome, qui prenait autrefois les dieux de tous les peuples, en donne aujourd'hui à l'univers.

————

Les généraux ont été irréligieux fort à propos. Sylla, quand on lui dit que le temple de Delphes, qu'il pille, résonne de la lyre d'Apollon, dit que la musique est signe de réjouissance.

————

Un autre coupe la barbe d'or d'Esculape, disant qu'il n'est pas juste que le fils ait barbe, quand son père Apollon n'a pas poil au menton.

————

Le capitaine Levi prend un collier à la Vierge Marie :
«Vous êtes trop coquette, ma cousine.»

———

Beau mot de Marc Aurèle : «Nous n'avons pas vécu
de façon à craindre les dieux.»

———

Un poète arabe finit un de ses poèmes par tourner
en ridicule les chrétiens, les musulmans, les juifs et les
païens. «Le monde est composé, dit-il, de gens habiles
qui n'ont point de religion, et de sots qui en ont.»

———

Papes, excommunications

Etienne V, à son entrevue avec Louis le Débonnaire
à Reims, le baise sur la bouche : depuis, les rois baisè-
rent la pantoufle. *Quando il culo ?*

———

Sous Charles le Simple, Etienne VII déterre
Formose, son prédécesseur, lui coupe les doigts et le
jette dans le Tibre.

———

Jean XII, fils d'Albéric, consul, qui voulait rétablir
la République, fut pape à dix-huit ans ; fou, scandaleux,
déposé, revient à Rome renouveler les proscriptions de
Sylla ; meurt ivre en 961. Il s'appelait Octavien Spork.

———

Célestin III excommunie Philippe Auguste et son
royaume pour sa femme Insburge.

———

Les papes ont érigé en royaumes la Pologne, la Hongrie, l'Irlande, Naples, le Portugal; ont fait les ducs de Toscane grands-ducs, ont réglé les rangs.

———

REMARQUES HISTORIQUES

L'Europe plus éclairée, plus policée, plus heureuse, plus féconde en grands hommes, que sous les Romains.

———

Il n'y a aucun peuple qui les égale, mais tous les hommes de l'Europe d'aujourd'hui sont autant au-dessus de tous les hommes d'alors que Rome ancienne est au-dessus de Rome moderne.

———

L'obélisque de Rome est celui de Ramessès, selon Bianchini.

———

Le cardinal d'Auvergne, abbé de Cluny *(propter clunes),* écrivait à M. de Valence qu'il voulait aller chez lui, et qu'il ne voulait qu'un bon et grand lit: M. de Richelieu mit un *v* à la place de *l.*

———

Un lecteur lisait que Dieu apparaît *en singe* à Abraham. «Lis donc *en songe.* — Ah! monsieur, il ne l'eût jamais reconnu...»

———

La cause de la décadence des lettres vient de ce qu'on a atteint le but; ceux qui suivent veulent le passer.

————

On aime la gloire et l'immortalité, comme on aime les enfants posthumes.

————

PLATON (*RÉPUBLIQUE*)

Ceux qui ont passé leur vie sans penser sont comme des forçats enchaînés le dos tourné contre la lumière, ne voyant que les ombres des choses, et croyant que ce sont ces ombres qui font tout le bruit. Si on les délivrait et qu'on leur montrât les choses réelles, ils commenceraient par douter, etc.

———

Il se plaint que chez le Grecs il y avait plus de musiciens que de gens d'esprit, plus d'oreilles que d'âmes.

———

Il se sert d'un bien mauvais argument pour prouver l'immortalité de l'âme: «les maladies des corps les détruisent; mais les maladies de l'âme ne la détruisent point: elle n'est pas moins âme pour être ignorante, méchante, etc.»

———

Il dit que le vice est le pur effet de la volonté libre.

———

HISTOIRE

Presque toute incertaine avant la renaissance des lettres.

———

Comment imaginer trois cent mille occis à la bataille entre Abdérame et Charles Martel ?

———

Comment attribuer à Joinville une histoire qu'il aurait écrite à quatre-vingt-dix ans ? On y dit que le Jourdain vient des sources *Jour* et *Dain*.

———

Les Tartares ne savent rien, sinon qu'ils ont conquis la terre.

———

Du temps de Charles IX, trois hommes sages : le chancelier de l'Hôpital, Montaigne, Charron.

———

Le duc de Sully dit qu'il en coûtait cinquante millions au particulier pour que le roi en reçût trente.

Un Suisse gardait une rue, avec ordre de ne laisser passer personne. On porte le bon Dieu. « Ah! passer, vous, dit-il; mais point passer canailles de prêtres! »

———

Un homme éclairé qui demande conseil peut être comparé à Moïse, qui prenait des guides quoiqu'il eût la colonne de feu.

———

On peut dire d'un homme qui pue de la bouche qu'il a déjeuner avec Ezéchiel.

———

Les femmes ressemblent aux girouettes: elles se fixent quand elles se rouillent.

———

Les physiciens, en calculant, sont comme les marchands, qui pèsent et vendent des drogues qu'ils ne connaissent pas.

———

Leibnitz n'a rien fait de complet. Il jetait quelques pensées dans un journal: c'était une carpe qui laissait ses œufs sur le rivage, — couvait qui voulait.

———

Je ne blâme point ce qui n'est que bel esprit: il en faut dans un compliment, dans une épigramme; mais prenons garde de ressembler à ceux qui aiment mieux un magot de la Chine qu'un tableau de Le Brun.

———

Le sol de Florence semblait fait pour produire des Pétrarque, des Galilée. Il faut cultiver le nôtre, l'engraisser, etc. Les génies sont venus en France, comme les fruits transplantés, de la Grèce.

———

Pourquoi, après le siècle des bons ouvrages, tout dégénère-t-il ? C'est que les vraies beautés sont devenues des lieux communs.

———

Singularités de la langue

Un Romain était savant quand il savait l'histoire de Rome ; un Grec ne savait que sa langue et l'histoire d'Hérodote ; nous, religion, langues, mathématiques, hitoire de l'Univers, etc.

———

Il n'y a pas encore assez d'esprit. Il faut que le temps vienne d'en avoir assez pour ne faire plus de livres.

———

Les chimistes se vantent de leurs transmutations, mais nous en savons plus qu'eux : nous changeons tous les jours le bois en cendre, la bougie en flamme, un dîner en merde, etc.

———

Les savants entêtés sont comme les juifs, qui croyaient que le soleil luisait pour eux seuls quand les Egyptiens étaient dans les ténèbres.

———

Les hommes sont comme les animaux : les gros mangent les petits, et les petits les piquent.

———

C'est Hermès Trismégiste qui a dit que Dieu est une sphère dont le centre est partout, et la circonférence nulle part.

———

Les bienfaits sont un feu qui ne brûle que de près.

La princesse de Conti ne veut pas que les princes de Conti, ses enfants, apprennent à danser, parce qu'on se sert d'un violon.

On avait mis sur ses étendards: *Pro Deo et Patria*; il (le roi de Prusse) raya *Pro Deo*.

A la bataille de Spire, point de quartier; un officier allemand demandait la vie à un Français, celui-ci répondit: «Monsieur, demandez-moi toute autre chose.»

Au mois de juin 1743, un janséniste s'est pendu, disant qu'il ressusciterait dans trois jours. C'est à Utrecht, le fait est certain.

A Londres, en 1749, un charlatan fait afficher qu'il fait entrer son corps tout entier dans une bouteille de six pintes, prend l'argent, et s'en va.

Sermon du docteur Swift sur l'orgueil,
devant le Parlement d'Irlande

«Messieurs, il y a trois sortes d'orgueil: celui de la naissance, celui des places, celui de l'esprit. A l'égard du troisième, comme personne de cette auguste assemblée ne peut être accusé de ce vice, je n'aurai pas l'honneur de vous en parler.»

Mahomet second, entendant dire à Belin que le doge de Venise épousait la mer, dit qu'il l'enverrait bientôt consommer le mariage.

————

« Comment recevez-vous tant de sots dans votre ordre ? disait-on à un jésuite. — Il nous faut des saints. »

————

Gratien loue cette pensée : le coq eut bien tort de chanter, quand saint Pierre eut renié, en voyant une si grande poule mouillée. (Bon goût !)

————

Les Romains n'usaient point, en écrivant, de ces vains superlatifs si communs en Italie et en France : *infiniment, horriblement, au désespoir, parfaitement, très humblement,* etc. Les Anglais approchent plus des Romains que nous : ils pensent, et nous parlons.

————

Il y a beaucoup d'honnêtes gens qui mettraient le feu à une maison, s'il n'y avait que cette façon de faire rôtir leur souper.

————

Ces contradictions qui sont dans l'homme, ces délicatesses de l'amour-propre[,] ces élans de l'âme pour le souverain bien, ces guerres intestines de nos âmes dont les Pascals[,] les Nicoles etc. nous rebattent les oreilles sont inconnus de la plus grande partie du genre humain, c'est le partage de quelques oisifs.

Un jargon inintelligible, une longue étude d'absurdités[,] voilà ce qui mène aux plus grands honneurs d'un bout de la terre à l'autre.

————

JÉSUS-CHRIST

Jésus faisait mourir tous les petits enfant qui se moquaient de lui.

———

Il faisait de petits oiseaux de terre, et le Père céleste les faisait envoler.

———

Comment le Saint-Esprit a-t-il inspiré aux évangélistes si peu d'ordre et de raison ?

———

Evangile de saint Jean, fait par des chrétiens platoniciens, au IIe siècle.

———

L'histoire d'Hérode et des innocents non seulement absurde, mais démentie par Luc, qui fait [naître] Jésus dix ans après la mort d'Hérode.

———

Anagramme

Quid est veritas :
Est vir qui adest.

Ce n'est que depuis Josué que la terre tourne. Il arrêta le soleil, et alors la terre commença à tourner.

———

ANECDOTES

Réflexions sur la liberté

Si on était libre, on ne serait jamais fou, car personne ne veut l'être. On serait toujours le maître des passions incommodes, on changerait de caractère : personne n'en change. Il est certain que dans une passion on agit sans liberté, parce qu'on suit l'idée dominante : or personne ne se donne ses idées ; on suit toujours l'idée dominante : donc, dans tous les cas, on est emporté, tantôt violemment et avec chagrin, tantôt doucement et avec joie.

———

Mon colonel, je suis las de piller, je vais violer.

———

Il n'y a eu pendant près de mille ans qu'un seul peuple : tout était anéanti par le peuple romain. Aujourd'hui, chaque nation attire l'attention des hommes, et toutes ensemble sont supérieures en tout aux Romains.

———

Qui a fait passer des hommes en Amérique et qui y a fait passer des arbres ?

Où l'esprit systématique ne conduit-il pas ?

La Condamine n'a point trouvé de coquillages dans les Andes qu'il a parcourues. Buffon n'y a point été, il y voit des coquillages.

———

Chacun se croit quelque chose. Quand j'arrivai en Angleterre, la femme d'un procureur se tua et fit mettre dans les gazettes qu'elle protestait, à la face de toute la terre, qu'elle n'avait jamais couché qu'avec son clerc.

———

M. d'Argenson me disait (mars 1749): «Henri III n'eût pas été détrôné s'il avait eu un premier ministre; et Louis XIII l'eût été s'il n'en eût pas eu.»

———

Varillas dit que les guerres civiles et les fluxions tombent toujours sur les parties faibles.

———

Louis XIV dit au père Bourdaloue: «J'aime à prendre ma part d'un sermon, mais je n'aime pas qu'on me la fasse.»

———

MŒURS DU TEMPS

Nulle police; quarante mille mendiants dans la banlieue.

———

Portiers tués aux comédies de Scudéry. Corneille commençait à instruire une nation barbare.

———

Le peuple reçoit la religion, les lois, comme la monnaie, sans l'examiner.

———

Il faut qu'il y ait des comédiens et des curés, comme des cuisiniers et des médecins.

———

L'art de la guerre est, comme celui de la médecine, meurtrier et conjectural.

———

La langue la plus parfaite est celle où il y a le moins d'arbitraire: c'est comme dans le gouvernement.

———

Molière, Racine, Corneille, dans leurs pièces, enseignaient la France ; ils disaient ce qu'on ne savait pas. Aujourd'hui, quelque bien qu'on fasse, on ne dit que ce que nous savons.

———

POUR L'HISTOIRE

Les Anglais qui n'ont pas voyagé croient que le roi de France est le maître des biens et de la vie de ses sujets, et qu'avec un *tel est notre plaisir* il ôte les rentes à un sujet pour les donner à un autre. Il n'y a point de tel gouvernement sur la terre. Les lois sont observées, personne n'est opprimé. Un homme à qui un intendant ferait une injustice a droit de s'en plaindre au Conseil. On ne force personne à servir, comme en Angleterre ; et si les ministres abusent trop de leur pouvoir, le cri public leur est funeste.

———

C'est quand les rois n'étaient pas absolus que les peuples étaient malheureux : ils étaient la proie de cent tyrans.

———

Il est certain qu'un bon roi peut faire en France plus de bien qu'en Angleterre, parce qu'il n'est pas contredit. Il peut faire aussi beaucoup plus de mal ; mais il n'est pas dans la nature humaine d'être méchant quand il n'y a rien à gagner à l'être.

——

N. B.: Jamais, dans la dernière guerre, nous n'avons manqué de respect aux têtes couronnées. La Hollande, l'Allemagne, l'Angleterre, étaient inondées de pièces scandaleuses contre le roi. Voilà une grande supériorité que nous avons.

——

En 1635, le cardinal de Richelieu voulut faire un régiment de laquais pour repousser les Espagnols.

——

Qui le croirait? les carrosses ont contribué à la tranquillité de Paris. Quand on alloit à cheval on étoit armé en guerre. Les querelles étoient plus aisées à faire et à vider. Le carrosse rend tranquille.

Mon esprit est comme ces climats, chaud à midi, froid le soir.

On sert les roy d'Espagne et d'Angleterre à genoux; et moi aussi quand on me déchausse, quand on m'a donné un lavement. Les soldats se mettent à genoux quand ils tirent apparemment pour demander pardon du meurtre.

Les protestants de la Silésie proposèrent au roi de Prusse d'égorger les catholiques[.] Mais si eux vous? Oh cela est bien différent, notre religion est la véritable.

——

DESCARTES

Dans ses lettres

Que le roi d'Angleterre est fort heureux d'avoir eu le cou coupé, et que si ses ennemis avaient pu lui envoyer la fièvre et des médecins, etc.;

Qu'il a écrit sur les passions, mais pour les approuver, et qu'il les trouve toutes bonnes, surtout l'amour;

Que le premier sentiment de l'âme est la joie, en entrant dans son corps;

Que la reine de Suède était plus faite à l'image de Dieu qu'une autre, parce qu'elle faisait plus de choses à la fois;

Qu'il veut renoncer à écrire, puisqu'un jésuite l'a accusé d'être pyrrhonien pour avoir écrit contre les pyrrhoniens, et un ministre athée pour avoir écrit contre les athées.

———

GÉNÉROSITÉ

Du temps de Henri IV, les postillons sonnaient du cor, comme en Allemagne ; cela vaut mieux que notre *ohé !*

———

Henri IV à Créteil. Des procureurs lui refusent un poulet : il les fait fouetter.

———

CICÉRON

Il n'a pas été exilé, comme Démosthène, pour s'être laissé corrompre, mais pour avoir sauvé l'Etat. Il a gagné une bataille et a méprisé cette gloire: il voulait celle de son vrai talent. Il était ami tendre, citoyen zélé, le meilleur philosophe, de son temps; intrépide au temps de la conjuration. Il mourut avec fermeté, mais il ne se donna pas la mort, comme Démosthène. Ce fut un courage différent: l'un aime mieux disposer de sa vie; l'autre en laisse le maître un ingrat à qui il l'avait sauvée, pour qui il avait plaidé. C'est le sort de tous les hommes publics de trouver toujours des ingrats.

Le peuple aime toujours la superstition et les pointes:
Les miroitiers ont pour patrons saint Clair;
Les paveurs, saint Roch;
Les vergetiers, sainte Barbe;
Les carrossiers, saint Fiacre.

———

COMMERCE

Peu de commerçants entendent le commerce en général. Une boutique veut décréditer sa voisine; Lyon veut écraser Tours; l'homme public soutient tout.

———

Le but du commerce, chez un législateur, est de donner aux citoyens tout ce que leur climat leur refuse et d'enrichir l'Etat.

———

Un Etat ne peut s'enrichir qu'aux dépens d'un autre. Si vos voisins en savent autant que vous, la balance du pouvoir est égale.

———

Dans la situation présente de l'Europe, l'industrie ne donne pas à un peuple une trop grande supériorité sur l'autre.

———

Elle a seulement égalé les Hollandais à de plus grandes puissances, mais elle ne les rend pas dangereux.

———

La discipline militaire est comme le commerce : elle s'est étendue également partout à peu près.

———

Un historien est un babillard qui fait des tracasseries aux morts.

———

Pascal s'imagine que tous les hommes sont, comme lui, dévorés des idées de la métaphysique.

C'est le partage de quelques atrabilaires inutiles.

Le bonheur est un mot abstrait, composé de quelques idées de plaisir.

———

Le plaisir vient, on ne se le donne pas.

———

La religion n'est point un frein ; c'est, au contraire, un encouragement au crime. Toute religion est fondée sur les expiations.

———

En Moscovie, quand on embrasse le rite grec, on dit : « Maudits soient mon père et ma mère, qui m'ont élevé dans une fausse religion ! Je crache sur eux et sur leur religion. »

———

« Le malheur des autres doit vous consoler. » — Mais, quand je suis heureux, me dites-vous : « Le bonheur des autres doit vous attrister ? »

———

Les Incas avaient des palais incrustés d'or et couverts de paille : emblème de bien des gouvernements.

———

La véritable éloquence n'a pu jamais être connue en Asie, car qui aurait-on à persuader? On obéit en esclave à un signe. Où la force règne seule, l'éloquence n'a pas d'empire.

———

Une femme demande à un moine à quel saint s'adresser pour avoir des enfants. «Madame, je ne m'adresse jamais à d'autres pour les affaires que je peux faire par moi-même.»

———

C'est une des superstitions de l'esprit humain d'avoir imaginé que la virginité pouvait être une vertu.

———

TRAGÉDIES

Chœurs, lieux communs, espèces de prières, de psaumes, mieux à l'église. Chœurs dans le *Catilina* de Ben Jonson.

———

Grandes fautes dans l'*Œdipe* et l'*Electre* de Sophocle. Le nom seul d'Œdipe devait le faire connaîte : *Pieds percés*. Jocaste lui avait fait percer les pieds. Déclamation dans *Electre;* simplicité, mais longueur.

Sur l'Electre

Le théâtre toujours en proie à l'amour. Les vrais juges ne vont point au spectacle, mais la seule jeunesse : de là corruption du théâtre.

———

Racine mit en vers l'esprit des Romains. Campistron affadit ce qu'il avait embelli. Fontenelle et la Bernard ont fait le consul Brutus amoureux !

———

Il fallut faire Electre amoureuse, et cet amour ne servait ni à avancer ni à retarder la mort d'Egisthe.

Si l'auteur d'*Athalie* avait traité *Electre, Iphigénie en Tauride, Œdipe*, point d'amour. Il rougissait, sur la fin de sa vie, d'avoir amolli la scène.

Il y a peu de sujets tragiques qui souffrent que l'amour y soit introduit. Il faut qu'il y soit nécessaire ; qu'il en soit la base ; qu'il en soit l'âme unique. Furieux, terrible, auteur des crimes, accompagné de remords, il est tragique : ainsi dans *Phèdre*, dans *Roxane*, dans *le Cid ;* mais, étranger dans la pièce, il devient galant et froid. Il est alors insupportable, et cependant on en voulait toujours. On me força, dans *Œdipe*, à gâter ce sujet par je ne sais quel ressouvenir d'un ancien goût de Jocaste pour *Œdipe* et je ne me suis jamais consolé d'avoir ainsi amolli dans quelques scènes le second sujet de l'antiquité.

Il est honteux pour notre nation d'avoir souffert, dans l'*Electre* de Crébillon :
Faisons tout pour l'amour, s'il ne fait rien pour moi.

Il ne faut pas discuter des goûts, c'est-à-dire il faut permettre d'être plus touché de la passion de Phèdre que de la situation de Joas, d'aimer mieux être ému par la terreur que par la pitié, de préférer un sujet romain à un grec.

Mais quand il s'agit de savoir quand un sujet est

bien travaillé, bien écrit, c'est alors qu'il ne peut y avoir qu'un goût qui soit bon.

———

Dans notre nation on n'aime pas véritablement la littérature. Une pièce réussit pleinement. Cinq à six cents personnes la voient dans Paris, douze cents la lisent. *Non sic* à Londres.

———

Les ouvrages des Grecs sont comme la Grèce : pleine de défauts, de superstitions, de faiblesses ; mais le premier peuple de la terre.

———

Les comédiens : esclaves à Rome, magistrats à Athènes, excommuniés chez nous.

———

MÉMOIRES DE SULLY

Les sommes qu'il saisissait lui appartenaient : il en saisit une fois pour cinquante mille écus.

———

Il en coûta trente-deux millions de ce temps-là au roi pour acheter les Ligeurs. Est-ce là vaincre et pardonner ? Il n'en coûta rien après la Fronde.

———

Sully croyait à l'astrologie.

POUR LE SIÈCLE DE LOUIS XIV

Après les véritables grands hommes, on peut compter une foule de beaux esprits et de littérateurs, qui ne
répandirent pas de nouvelles lumières, mais qui
conservèrent le feu sacré. Les mauvais livres furent
moins mauvais, parce que le siècle passé fut le précepteur du suivant.

———

Les ouvrages galants, les chansons, les épigrammes,
furent, pour les Corneille et les Bossuet, ce que sont
nos belles tabatières et nos étuis de côté pour les
Girardon et les Bouchardon.

———

Corneille honore son siècle, malgré tous ses mauvais
ouvrages, comme Homère le sien, malgré ses défauts.

———

RICHELIEU

André Duchesne avait d'abord dans ses recherches fait la généalogie de la maison de Richelieu, qui descendait d'un bâtard d'un évêque de Poitiers (sous Louis XI et d'une fille d'un apothicaire, nommée Genouillac, famille fort étendue à Poitiers.

———

Quand le cardinal de Richelieu fut rentré au Conseil, en 1624, Duchesne fit une autre généalogie : il fit descendre le cardinal d'une Laval, mais il fut détrompé. Il voulut se rétracter, mais le cardinal l'en empêcha.

———

Le cardinal de Richelieu était le fils de François Duplessis de Richelieu, roué en effigie à Châtellerault pour avoir assassiné le sieur de Mouzon.

———

Il eut trois fils : Henri, tué en duel ; Alphonse, le chartreux, et le cardinal Armand-Jean, celui-ci, étant à l'académie, était faible et hargneux, hautain, que-

117

relleur. On lui conseilla de se faire prêtre, de peur d'être tué.

———

Le cardinal de Richelieu, dans sa jeunesse, s'appelait M. du Chillon.

———

Usages

Ils sont si forts qu'on crie l'heure en Allemagne parce qu'on la criait avant qu'il y eût des horloges.

Les Anglais crient *property and liberty*. C'est le cri de l'amour de soi-même.

———

Pensées sur le bonheur

Des astronomes observent des étoiles; un paysan dit: «Ils ont beau faire, ils n'en seront jamais plus près que nous.» Ainsi des raisonneurs sur le bonheur.

———

Les hommes qui cherchent le bonheur sont comme des ivrognes qui ne peuvent trouver leur maison, mais qui savent qu'ils en ont une.

———

Le bonheur ressemble à l'île d'Ithaque, qui fuyait toujours devant Ulysse.

———

Dissimuler, vertu de roi et de femme de chambre.

Les juifs défendaient de cuire l'agneau dans le lait de la mère : ombre d'humanité, persuasion de l'âme des bêtes.

―――

Les stoïciens devoient inspirer une vertu plus ferme et plus magnanime que notre religion[.] Ils intéressaient l'amour-propre à aimer la vertu pour elle-même. Le christianisme, vous dit après trente ans de crimes[,] une bonne confession suffit.

―――

Pourquoi faut-il qu'un grain d'opium donne souvent plus de félicité que tous les traités de philosophie *Primus in orbe bonos fecit timor* — mais Antonin etc. ? La fatalité admise, il y a plus de raison que de justice à punir les criminels.

―――

On dit : « l'Europe est plus riche qu'autrefois ; mais la terre porte-t-elle davantage ? » Non, mais il y a plus d'industrie.

―――

HISTOIRE

Nulle authenticité jusqu'au temps où les gazettes, les journaux, se contredisant les uns les autres, donnent occasion d'examiner les faits, discutés ensuite par les contemporains.

———

Je ne crois pas Suétone, qui dit que Néron avait envie de faire mourir le sénat entier. Un empereur peut-il faire des crimes inutiles ?

———

Je crois encore moins les miracles de Xavier, et pareilles sottises démontrées impossibles.

———

BERLIN

Il y a à Berlin cent vingt-deux mille âmes, en comptant dix-huit mille soldats. Point de querelles entre les soldats et les bourgeois. M..., lieutenant de police, y a mis ordre.

————

Au mois de décembre 1750, le roi assembla sa cour de justice, pour savoir pourquoi on avait fait durer six mois le procès d'un meunier.

————

S'il avait eu plus d'audace, il eût détruit la maison d'Autriche et la religion chrétienne.

————

REMARQUES SUR LE DISCOURS
SUR L'INÉGALITÉ DES CONDITIONS

DE J.-J. ROUSSEAU

« ... La nature en use précisément avec eux comme la loi de Sparte avec les enfants des citoyens: elle rend forts et robustes ceux qui sont bien constitués, et fait périr tous les autres, différente en cela de nos sociétés, où l'Etat en rendant les enfants onéreux aux pères, *les tue indistinctement* avant leur naissance. »

« Obscur et mal placé. »

« ... S'il elle nous a *destinés à être sains,* j'ose presque assurer que l'état de réflexion est un état contre nature, et que l'homme qui médite est un animal dépravé. »

« ... La nature commande à tout animal, et la bête obéit. L'homme éprouve la même impression; mais il se reconnaît libre d'acquiescer ou de refuser, et c'est surtout dans la conscience de cette liberté que se montre la spiritualité de l'âme: car la physique explique en quelque manière le mécanisme des sens et la formation des idées; mais dans la puissance de vouloir, ou plutôt de choisir, et dans le sentiment de cette puissance, on ne trouve que des actes purement spirituels, dont on n'explique rien par les lois de la mécanique. »

Voilà une assez mauvaise métaphysique.

« ... Il serait affreux de louer comme un être bienfaisant celui qui le premier suggéra à l'habitant des rives de l'Orénoque l'usage de ces ais qu'il applique sur les tempes de ses enfants et qui lui assurent du moins une partie de leur imbécillité et de leur bonheur originel. »

Les sauvages aplatissent le front de leurs enfants afin qu'ils tirent aux oiseaux qui passent au-dessus de leurs têtes.

« ... Je remarquerais qu'en général les peuples du Nord sont plus industrieux que ceux du Midi, parce qu'ils peuvent moins se passer de l'être... »

Cela n'est pas vrai: tous les arts viennent des pays chauds.

« ... Toutes choses qu'il leur a fallu faire enseigner par les dieux, faute de concevoir comment ils les auraient apprises d'eux-mêmes... »

Non. Ils firent des dieux de leurs bienfaiteurs.

« ... Au lieu que dans cet état primitif, n'ayant ni maisons ni cabanes... »

Ridicule supposition.

« ... Si un chêne s'appelait A, un autre chêne s'appelait B, de sorte que plus les connaissances étaient bornées, et plus le dictionnaire devint étendu... »

Il s'appelait au moins AB, puisqu'il ressemblait à A.

« ... Quant à moi, effrayé des difficultés qui se multiplient, et convaincu de l'impossibilité presque démontrée que les langues aient pu naître et s'établir par des moyens purement humains, je laisse à qui voudra d'entreprendre la discussion de ce difficile problème... »

Pitoyable.

« ... Enfin, il est impossible d'imaginer pourquoi, dans cet état primitif, un homme aurait plutôt besoin d'un autre homme qu'un singe ou un loup de son semblable... »

Parce qu'il y a dans l'homme un instinct et une aptitude qui n'est pas dans le singe.

« ... Il dit précisément le contraire pour avoir fait entrer mal à propos dans le soin de la conservation de l'homme sauvage le besoin de satisfaire une multitude de passions qui sont l'ouvrage de la société et qui ont rendu les lois nécessaires... »

Le sauvage n'est méchant que comme un loup qui a faim.

« ... C'est la raison qui engendre l'amour-propre; c'est la réflexion qui le fortifie... »

Quelle idée! Faut-il donc des raisonnements pour vouloir son bien-être?

« ... Avec des passions si peu actives et un frein si salutaire, les hommes, plutôt farouches que méchants, et plus attentifs à se garantir du mal qu'ils pouvaient recevoir que tentés d'en faire à autrui, n'étaient pas sujets à des démêlés fort dangereux... »

Fou que tu es, ne sais-tu pas que les Américains septentrionaux, se sont exterminés par la guerre?

« ... Or, il est facile de voir que le moral de l'amour est un sentiment factice, né de l'usage de la société et célébré par les femmes avec beaucoup d'habileté et de soin pour établir leur empire et rendre dominant le *sexe qui devrait obéir.* »

Pourquoi?

« ... L'imagination qui fait tant de ravages parmi nous, ne parle point à des cœurs sauvages... »

Qu'en sais-tu? As-tu vu des sauvages faire l'amour?

« Or, aucun de ces deux cas n'est applicable à l'espèce humaine, où le nombre des femelles surpasse généralement celui des mâles... »

Il naît plus de mâles, mais au bout de vingt ans le nombre des femelles excède.

« ... Concluons qu'errant dans les forêts, sans industrie, sans parole, sans domicile, sans guerre et sans liaisons, sans nul besoin de ses semblables, sans nul désir de leur nuire, peut-être même sans jamais en reconnaître aucun individuellement, l'homme sauvage, sujet à peu de passions et se suffisant à lui-même, n'avait que les sentiments et les lumières propres à cet état, qu'il ne sentait que ses vrais besoins, ne regardait que ce qu'il croyait avoir intérêt de voir, et que son intelligence ne faisait pas plus de progrès que sa vanité... »

C'est conclure un bien mauvais roman.

« ... Là où il n'y a point d'amour, de quoi servira la beauté ?... »

La beauté excitera l'amour, et l'esprit produira les beaux-arts.

« ... Après avoir montré que la *perfectibilité*, les vertus sociales et les autres facultés que l'homme naturel avait reçues en puissance ne pouvaient jamais se développer d'elles-mêmes, qu'elles avaient besoin pour cela du concours fortuit de plusieurs causes étrangères qui pouvaient ne pas naître, et sans lesquelles il fut demeuré éternellement dans sa condition primitive, il me reste à considérer et à rapprocher les différents hasards qui ont pu perfectionner la raison humaine, en détériorant l'espèce, rendre un homme méchant en le rendant sociable, et d'un terme si éloigné amener enfin l'homme et le monde au point où nous les voyons... »

Quoi ! ne vois-tu pas que les besoins mutuels ont tout fait.

(Seconde partie). « ... Le premier qui, ayant enclos

un terrain, s'avisa de dire: «Ceci est à moi», et trouva des gens assez simples pour le croire, fut le vrai fondateur de la société civile. Que de crimes, de guerres, de meurtres, que de misères et d'horreurs n'eût point épargnés au genre humain celui qui, arrachant les pieux ou comblant le fossé, eût crié à ses semblables: «Gardez-vous d'écouter cet imposteur; vous êtes perdus si vous oubliez que les fruits sont à tous, et que la terre n'est à personne!...»

Quoi! celui qui a planté, semé et enclos, n'a pas droit aux fruits de ses peines... Quoi! un homme injuste et voleur aurait été le bienfaiteur du genre humain! voilà la philosophie d'un gueux!

«... Car plus les événements étaient lents à se succéder, plus ils sont prompts à décrire...»

Ridicule.

«... Et la plus douce des passions reçoit des sacrifices de sang humain...»

Une passion qui reçoit des sacrifices!...

«... Tandis que rien *n'est* si *doux* que lui dans *son état primitif*...»

Et quand il fallait disputer la nature...

«... Ainsi, quoique les hommes fussent devenus moins endurants et que la pitié naturelle eût déjà souffert quelque altération, cette période du développement des facultés humaines, tenant un *juste milieu*

128

entre l'indolence de l'état primitif et la pétulante activité de notre amour-propre, dut être l'époque la plus heureuse et la plus durable. »

Quelle chimère que ce juste milieu !

« ... Pour le poète, c'est l'or et l'argent, mais pour le philosophe ce sont le fer et le blé qui ont civilisé les hommes et perdu le genre humain; aussi l'un et l'autre étaient-ils inconnus aux sauvages de l'Amérique, qui pour cela sont toujours demeurés tels... »

Les Mexicains et les Péruviens, subjugués par les sauvages espagnols, étaient très civilisés. Mexico était aussi beau qu'Amsterdam.

« ... C'est qu'elle est (l'Europe) à la fois la plus abondante en fer et la plus fertile en blé... »

Faux.

« ... D'un autre côté on peut d'autant moins attribuer cette découverte à quelque incendie accidentel que les mines ne se forment que dans des lieux arides et dénués d'arbres et de plantes, de sorte qu'on dirait que la nature avait pris des précautions pour nous dérober ce fatal secret... »

Le fer est produit en masse dans les Pyrénées.

« ... Puffendorf dit que tout de même qu'on transfère son bien à autrui par des conventions et des contrats, on peut aussi se dépouiller de sa liberté en faveur de quelqu'un. C'est là, ce me semble, un fort mauvais raisonnement: car premièrement le bien que j'aliène me devient une chose tout à fait étrangère, et dont l'abus m'est indifférent; mais il m'importe qu'on n'abuse point de ma liberté, et je ne puis, sans me rendre coupable du mal qu'on me force de faire, m'exposer à devenir l'instrument du crime... »

Très beau.

« ... En un mot, d'un côté furent les richesses et les conquêtes et de l'autre le bonheur et la vertu... »

Tartare.

« ... Je montrerai que c'est à cette ardeur de faire parler de soi, etc. etc. »

Singe de Diogène, comme tu te condamnes toi-même !

Ibidem. « ... Ils cesseraient d'être heureux si le peuple cessait d'être misérable, etc. »

Comme tu outres tout ! comme tu mets tout dans un faux jour !

« ... On verrait... tout ce qui peut inspirer aux différents ordres une défiance et une haine mutuelles par l'opposition de leurs droits et de leurs intérêts, et fortifier, par conséquent, le pouvoir qui les contient tous... »

Si le pouvoir royal contient et réprime toutes les factions, tu fais le plus grand éloge de la royauté contre laquelle tu déclames...

« ... Et comme les gros chevaux prennent leur accroissement en moins de temps que les chevaux fins, ils vivent aussi moins de temps et *sont vieux dès l'âge de quinze ans...* » (Note sur la durée de la vie des chevaux).

Faux. J'ai eu deux chevaux de carrosse qui ont vécu trente-cinq ans.

« ... Tel est en abrégé le tableau moral, sinon de la vie humaine, au moins des prétentions secrètes du cœur de tout homme civilisé... »

Et encore plus de tout sauvage, s'il peut.

« ... Goûts que les sauvages ni les animaux ne connurent jamais, et qui ne sont nés dans les pays policés que d'une imagination corrompue... »

On a trouvé cette turpitude établie en Amérique; et dans les livres juifs qu'on nous fait lire, y a-t-il un peuple plus barbare que les Sodomites ?

« ... Que serait-ce si j'entreprenais de montrer l'espèce humaine attaquée dans sa source même, etc. »

Malheureux Jean-Jacques, dont les carnosités sont assez connues, pauvre échappé de la vérole, ignores-tu qu'elle vient des sauvages ?

« ... Quant aux hommes semblables à moi, dont les passions ont détruit pour toujours l'originelle simplicité, et qui ne peuvent plus se nourrir d'herbe et de gland, ni se passer de lois et de chefs; ceux qui furent honorés dans leur premier père de leçons surnaturelles; ceux qui verront, dans l'intention de donner d'abord aux actions humaines une moralité qu'elles n'eussent de longtemps acquise, la raison d'un précepte indifférent par lui-même et inexplicable dans tout autre système, etc. »

Galimatias.

« ... On sait que les Lapons, et surtout les Groenlandais, sont forts au-dessous de la taille moyenne de l'homme... »

Faux.

« ... On prétend même qu'il y a des peuples entiers qui ont des queues comme des quadrupèdes... »

Faux.

« ... Enfin M. Locke prouve tout au plus qu'il pourrait bien y avoir dans l'homme un motif de demeurer attaché à la femme lorsqu'elle a un enfant ; mais il ne prouve nullement qu'il a dû s'y attacher... »

(Tout cela est abominable, et c'est bien mal connaître la nature.)

REMARQUES
SUR LE CONTRAT SOCIAL

DE J.-J. ROUSSEAU

CHAPITRE Ier, LIVRE Ier.

« ... Si je ne considérais que la force et l'effet qui en dérive, je dirais : tant qu'un peuple est contraint d'obéir et qu'il obéit, il fait bien ; sitôt qu'il peut secouer le joug et qu'il le secoue, il fait encore mieux : car recouvrant sa liberté par le même droit qui la lui a ravie, ou il est fondé à la reprendre, ou l'on ne l'était point à la lui ravir... »

C'est tout le contraire, car s'il est fondé à reprendre sa liberté, on ne l'était pas à l'en priver.

« ... Mais l'ordre social est un droit sacré qui sert de base à tous les autres. Cependant ce droit ne vient point de la nature... »

Cela est confus et obscur; ce droit vient de la nature, si la nature nous a faits des êtres sociables.

CHAPITRE II. - *Des premières sociétés.*

« ... La plus ancienne de toutes les sociétés et la seule naturelle est celle de la famille... »

Donc ce droit vient de la nature.

« ... S'ils continuent de rester unis, ce n'est plus naturellement, c'est volontairement, et la famille elle-même ne se maintient que par convention... »

Mais il faut convenir que cette convention est indiquée par la nature...

« Grotius nie que tout pouvoir humain soit établi en faveur de ceux qui sont gouvernés; il cite l'esclavage en exemple. Sa plus constante manière de raisonner est d'établir toujours le droit par le fait... »

Grotius ne cite l'esclavage que comme une exception, que comme le droit de la guerre.

« ... Le raisonnement de ce Caligula revient à celui d'Hobbes et de Grotius... »

L'auteur se trompe. Hobbes reconnaît le droit du plus fort, non comme une justice, mais comme un malheur attaché à la misérable nature humaine.

« ... C'est le rapport des choses et non des hommes qui constitue la guerre... La guerre n'est donc point une relation d'homme à homme, mais une relation d'Etat à Etat, dans laquelle les particuliers ne sont ennemis qu'accidentellement, non point comme hommes, ni même comme citoyens, mais comme soldats... »

Tout cela me paraît d'un rhéteur captieux. Il est clair que la guerre d'Etat à Etat est à la guerre d'homme à homme. *Ordonnons à tous nos sujets* de leur courir sus...

« ... Même en pleine guerre, un prince juste s'empare bien en pays ennemi de tout ce qui appartient au public, mais il respecte la personne et les biens des particuliers... »

Il fallait, avant de parler du prince et des particuliers, définir ce que c'est que prince.

« ... Si la guerre ne donne point au vainqueur le droit de massacrer les peuples vaincus, ce droit qu'il n'a pas ne peut fonder celui de les asservir... »

On n'a jamais droit de tuer un homme qu'à son corps défendant.

« On n'a le droit de tuer l'ennemi que quand on ne peut le faire esclave... »

Supposition ridicule.

« ... Ils ont fait une convention, soit ; mais cette convention, loin de détruire l'état de guerre, en suppose la continuité... »

Non. Elle suppose continuité de faiblesse d'un côté, et de force de l'autre.

CHAPITRE V. - *Qu'il faut toujours remonter à une première convention.*

« ... Quand j'accorderais tout ce que j'ai réfuté jusqu'ici, les fauteurs du despotisme n'en seraient pas plus avancés... »

Bon.

CHAPITRE VI. - *Du pacte social.*

« ... Ces clauses bien entendues se réduisent toutes à une seule, savoir : l'aliénation totale de chaque associé avec tous ses droits à toute la communauté : car, premièrement, chacun se donnant tout entier, la condition est égale pour tous, et, la condition étant égale pour tous, nul n'a intérêt de la rendre onéreuse aux autres... »

Tout cela est faux. Je ne me donne pas à mes concitoyens sans réserve. Je ne leur donne point le pouvoir de me tuer et de me voler à la pluralité des voix. Je me soumets à

les aider et à être aidé, à faire justice et à la recevoir. Point d'autre convention.

« … Nul autre auteur français, que je sache, n'a compris le vrai sens du mot citoyen… »

Quelle pitié ! Ne voilà-t-il pas une chose difficile à comprendre ! Le gouvernement municipal existe en France. Les citoyens de Paris, le prévôt des marchands, les quarteniers élisent les échevins, le corps des marchands élit les consuls. C'est pour cela qu'à Londres la cité diffère de la ville.

CHAPITRE VII. - *Du souverain.*

« … Sitôt que cette multitude est ainsi réunie en un corps, on ne peut offenser un des membres sans attaquer le corps… »

Cela est pitoyable. Si on donne le fouet à Jean-Jacques Rousseau, donne-t-on le fouet à la république ?

« … Afin donc que le pacte social ne soit pas un vain formulaire, il renferme tacitement cet engagement, qui seul peut donner de la force aux autres, que quiconque refusera d'obéir à la volonté générale y sera contraint par tout le corps, ce qui ne signifie autre chose, sinon qu'on le forcera d'être libre : car telle est la condition qui, donnant chaque citoyen à la patrie, le garantit de toute dépendance personnelle, condition qui fait l'artifice et le jeu de la machine politique, et qui seule rend légitimes les engagements civils, lesquels sans cela seraient absurdes, tyranniques, et sujets aux plus énormes abus. »

Tout cela n'est pas exposé assez nettement.

CHAPITRE IX. - *Du domaine réel.*

«... Car l'Etat, à l'égard de ses membres, est maître de tous leurs biens par le contrat social... »

Maître de leur conserver tous leurs biens, et tenu de les maintenir.

«... On respecte moins dans ce droit ce qui est à autrui que ce qui n'est pas à soi... »

Oui, quand ce premier occupant n'a pris que ce qui n'est à personne, et qu'il n'est pas un premier ravisseur.

«... Pour autoriser... le droit de premier occupant, il faut: 1° que le terrain ne soit encore habité par personne... »

Bon.

«2° Qu'on n'en occupe que la quantité dont on a besoin pour subsister... »

Pourquoi ? S'il n'appartient à personne, je puis le prendre pour mes descendants.

«... Quand Nunez Balbao prenait sur le rivage possession de la mer du Sud et de toute l'Amérique méridionale, au nom de la couronne de Castille, était-ce assez pour en déposséder tous les habitants et en exclure tous les princes du monde ? »

Contradiction. Ces terrains appartenaient déjà à d'autres.

«... Ceux d'aujourd'hui s'appellent plus habilement rois de France, d'Espagne, d'Angleterre... »

Bien faux. Les rois d'Angleterre ne sont que rois des Anglais.

Au contraire, les lois protègent le pauvre contre le riche.

LIVRE II, CHAPITRE IER.
Que la souveraineté est indivisible.

«... Ainsi, par exemple, on a regardé l'acte de déclarer la guerre et celui de faire la paix, comme des actes de souveraineté, *ce qui n'est pas...* »

Ce qui est, car acte de souveraineté c'est acte de pouvoir.

«... Or, la vérité ne mène pas à la fortune, et le peuple ne donne ni ambassades, ni chaires, ni pensions. »

Tu aurais dû parler d'Algernon Sidney.

CHAPITRE IV. - *Des bornes du pouvoir souverain.*

« ... Il ne peut pas même le vouloir : car, sous la loi de *raison*, rien ne se fait sans cause, non plus que sous la loi de *nature*. »

Tu veux dire sous la loi de la physique ; et si l'on fait des sottises sous la loi de raison, hem !

« ... Parce qu'alors, jugeant de ce qui nous est étranger, nous n'avons reçu aucun vrai principe d'équité qui nous guide... »

Obscur et faux. C'est sur un autre individu que s'exerce mon équité. Quand je vote pour tous, c'est pour moi, c'est par amour-propre.

« ... C'est un procès... mais où je ne vois ni la loi qu'il faut suivre, ni le juge qui doit prononcer... »

Chacun est juge, et la loi naturelle est notre code.

« ... Il serait ridicule de vouloir alors s'en rapporter à une extrême décision de la volonté générale, qui ne peut être que la conclusion de l'une des parties, et qui, par conséquent, n'est pour l'autre qu'une volonté étrangère, particulière, portée en cette occasion à l'injustice et sujette à l'erreur... »

Obscur et faux.

CHAPITRE V. - *Du droit de vie et de mort.*

« ... Or, comme il s'est reconnu tel tout au moins par

son séjour, il en doit être *retranché par l'exil* comme infracteur du pacte, ou par la mort comme ennemi public...»

«... On n'a droit de faire mourir, même pour l'exemple, que celui qu'on ne peut conserver sans danger...»

Bon.

CHAPITRE VI. - *De la loi.*

«... Cet objet particulier est dans l'Etat ou hors de l'Etat. S'il est hors de l'Etat, une volonté qui lui est étrangère n'est point générale par rapport à lui, et si cet objet est dans l'Etat, il en fait partie: alors il se forme entre le tout et sa partie une relation qui en fait deux êtres séparés, dont la partie est l'un, mais le tout moins cette même partie est l'autre...»

Obscur.

«... Mais elle ne peut élire un roi ni nommer une famille royale...»

Pourquoi non?

CHAPITRE VII. - *Du législateur.*

Au bas d'une note sur Calvin, Voltaire écrit:
Fade louange d'un vil factieux et d'un prêtre absurde que tu détestes dans ton cœur.

« ... La loi judaïque toujours subsistante, celle de l'enfant d'Ismaël qui depuis dix siècles régit la moitié du monde, annoncent encore aujourd'hui les grands hommes qui les ont dictées, et tandis que l'orgueilleuse philosophie ou l'aveugle esprit de parti ne voit en eux que des imposteurs, le vrai politique admire dans leurs institutions ce grand et puissant génie qui préside aux établissements durables... »

Quoi! te contradiras-tu toujours toi-même!

CHAPITRE VIII. - *Du peuple.*

A la fin de ce chapitre, Voltaire écrit sous les derniers mots: **Polisson! il te sied bien de faire de telles prédictions.**

CHAPITRE IX.

« ... Et c'est ainsi qu'un corps trop grand pour sa constitution s'affaisse et périt écrasé sous son propre poids... »

Misérable déclamation! L'Europe partagée en grands royaumes qui tous subsistent.

« ... Au reste, on a vu des Etats tellement constitués que la nécessité des conquêtes entrait dans leur constitution même... »

Il fallait les spécifier, cela en vaut bien la peine.

CHAPITRE X.

« ... Un grand sol incliné ne donne qu'*une petite base horizontale, la seule qu'il faut compter pour la végétation...* »

Tu n'es pas géomètre.

LIVRE III, CHAPITRE X. - *De l'abus du gouvernement et de sa pente à dégénérer.*

« ... Le sénat n'est qu'un tribunal en sous-ordre... » (*Note sur le gouvernement de Rome.*)

Faux.

CHAPITRE XIV.

« ... A l'instant que le peuple est légitimement assemblé en corps souverain, toute juridiction du gouvernement cesse, la puissance exécutive est suspendue, et la personne du dernier citoyen est aussi sacrée et inviolable que celle du magistrat... »

Faux: car si alors on commet un meutre, un vol, le magistrat agit.

CHAPITRE XV. - *Des députés ou représentants.*

« ... Vos climats plus durs vous donnent plus de besoins ; six mois de l'année la place publique n'est pas tenable, vos langues sourdes ne peuvent se faire entendre en plein air, etc., et vous craignez bien moins l'esclavage que la misère... »

Tu ne songes pas que tous les peuples du Nord ont été libres.

LIVRE IV, CHAPITRE II. - *Des suffrages.*

« ... Si mon avis particulier l'eût emporté, j'aurais fait autre chose que ce que j'avais voulu ; c'est alors que je n'aurais pas été libre... »

Quel sophisme !

CHAPITRE III. - *Des élections.*

« ... C'est une erreur de prendre le gouvernement de Venise pour une aristocratie ; si le peuple n'y a nulle part, la noblesse y est peuple elle-même... »

Sophisme.

« ... Le grand conseil étant aussi nombreux que notre conseil général à Genève, ses illustres membres n'ont pas plus de privilèges que nos simples citoyens... »

Vanité ridicule.

« ... Quand l'abbé de Saint-Pierre proposait de multiplier les conseils du roi de France et d'en élire les membres au scrutin, il ne voyait pas qu'il proposait de changer la forme du gouvernement. »

Il le voyait très bien, et il avait la folie de croire comme toi que ses livres feraient des révolutions.

CHAPITRE IV. - *Des comices romains.*

« ... Le nom de *Rome,* qu'on prétend venir de *Romulus,* est grec, et signifie force. Le nom de *Numa* est grec aussi et signifie loi. Quelle apparence que les deux premiers rois de cette ville aient porté d'avance des noms si bien relatifs à ce qu'ils ont fait ? » *(Note.)*

Proprement dureté. *Nomos* a peu de rapport à Numa, et nul à Pompilius.

CHAPITRE VIII. - *De la religion civile.*

« ... Ainsi des divisions nationales résulta le polythéisme, et déjà l'intolérance théologique... »

Très faux. Il n'y eut d'intolérance d'abord que chez les Egyptiens et chez les juifs.

« ... Mais c'est de nos jours une érudition bien ridicule que celle qui roule sur l'identité des dieux de diverses nations... »

C'est toi qui es ridicule. Il est constant que le Jupiter, la Junon, le Mars, la Vénus des Romains, étaient les dieux des Grecs.

« ... Les peuples de ce vaste empire se trouvèrent insensiblement avoir des multitudes de dieux et de cultes, à peu près les mêmes partout... »

Non sans doute. Les dieux de Syrie et d'Egypte, ceux du Septentrion, étaient fort différents ; ceux des Perses et des Indiens, encore plus.

« ... Et voilà comme le paganisme ne fut enfin dans le monde connu qu'une seule et même religion... »

Très faux.

« ... Ce fut dans ces circonstances que Jésus vint établir sur la terre un royaume spirituel... Telle fut la cause des persécutions. »

La vraie cause fut la désobéissance de Marcel, de Laurent et de tant d'autres.

« ... Alors la division entre les deux puissances recommença ; quoiqu'elle soit moins apparente chez les mahométans que chez les chrétiens, elle y est pourtant, surtout dans le secte d'Ali ; et il y a des Etats, tels que la Perse, où elle ne cesse de se faire sentir. »

Très faux.

« ... Il y a donc deux puissances, deux souverains en Angleterre et en Russie, tout comme ailleurs... »

Point du tout.

«... Telle est la religion des Lamas, telle est celle des Japonais, tel est le christianisme romain.»

Les Lamas et les Japonais sont cités ici mal à propos. Le grand Lama est souverain comme le pape ; le Daïra n'est qu'un mufti.

«... Par cette religion sainte, sublime, véritable, les hommes enfants du même Dieu se reconnaissent tous pour frères, et la société qui les unit ne se dissout pas même à la mort...»

Je suis venu apporter le glaive et non la paix, diviser le père et la mère, le frère et la sœur.

«... Le christianisme est une religion toute spirituelle...»

Les premiers chrétiens étaient comme les esséniens, les thérapeutes, les quakers.

«... Il y a donc une profession de foi purement civile dont il appartient au souverain de fixer les articles, non pas précisément comme dogmes de religion, mais comme sentiment de sociabilité, sans lesquels il est impossible d'être bon citoyen ni sujet fidèle.»

Tout dogme est ridicule, funeste ; toute contrainte sur le dogme est abominable. Ordonner de croire est absurde. Bornez-vous à ordonner de bien vivre.